Astronomia

Rachel Firth
Progetto grafico di Lucy Owen

Consulenza di Stuart Atkinson
Illustrazioni di John Woodcock
A cura di Jane Chisholm e Gillian Doherty

Per l'edizione italiana:
Traduzione di Paolo A. Livorati
A cura di Nick Stellmacher e Loredana Riu

Il radiotelescopio
Parkes, in Australia

Sommario

Link Internet

Nel libro troverai riquadri come questo contenenti descrizioni di siti Web. Se hai accesso a Internet potrai visitarli per continuare la tua ricerca sull'astronomia in Rete. Per i collegamenti a questi siti vai al sito Quicklinks all'indirizzo: **www.usborne-quicklinks.com/it**

★ Questo simbolo accanto a un'immagine significa che puoi scaricarla dal nostro sito Quicklinks. Per maggiori informazioni su come scaricare le immagini e sull'uso di Internet in generale, vedi in terza di copertina.

Copertina: la nebulosa dell'Aquila, Marte, Nettuno e Saturno
A pag. 1: la Via Lattea

Un telescopio a rifrazione da 100 mm

Il cielo notturno

Nelle notti serene, in cielo ci sono migliaia di stelle. Quello che si vede, però, è solo una piccolissima parte di ciò che si trova nello spazio. Oltre alle stelle ci sono pianeti, lune, nubi di gas e zone immense di vuoto.

Misurare lo spazio

Le distanze fra i corpi celesti sono così grandi che è difficile immaginarle. Gli scienziati le misurano in anni luce: un anno luce corrisponde a 9.460 miliardi di km ed è la distanza che la luce percorre in un anno.

Piccole ma grandi

Le stelle sembrano piccole luci nel cielo, ma in realtà sono enormi sfere di gas dalle temperature altissime; le vediamo piccole perché sono lontanissime. La stella più vicina a noi è il Sole, ma ce ne sono miliardi di altre sparse per lo spazio, più o meno grandi e luminose.

La costellazione delle Pleiadi contiene circa 500 stelle. Quando il cielo è sereno sono visibili a occhio nudo sette delle sue stelle più luminose, che vengono anche chiamate "Sette Sorelle".

Le galassie

Le galassie sono gruppi di miliardi di stelle tenute insieme dalla forza gravitazionale. Molte sono visibili con un telescopio potente, altre sono troppo lontane e non si possono vedere chiaramente.

I pianeti e le lune

I pianeti sono sfere di roccia o gas che orbitano intorno a una stella. La Terra è uno dei nove pianeti che orbitano intorno al Sole. Le lune sono sfere di roccia o ghiaccio che orbitano intorno ai pianeti. La Terra ne ha una sola, che si vede molto bene di notte e a volte anche di giorno. Altri pianeti hanno molte lune: Giove, ad esempio, ne ha almeno 61.

La galassia M81 si trova a circa 12 milioni di anni luce dalla Terra. La fotografia è stata scattata da un telescopio gigante nelle isole Hawaii.

Il sistema solare

Il Sole, i nove pianeti, le loro lune e tutto ciò che orbita intorno al Sole formano il nostro sistema solare. È Il Sole a tenere tutti questi corpi in orbita grazie a una forza che si chiama gravità, la stessa forza che fa arrivare gli oggetti per terra quando li lasciamo cadere.

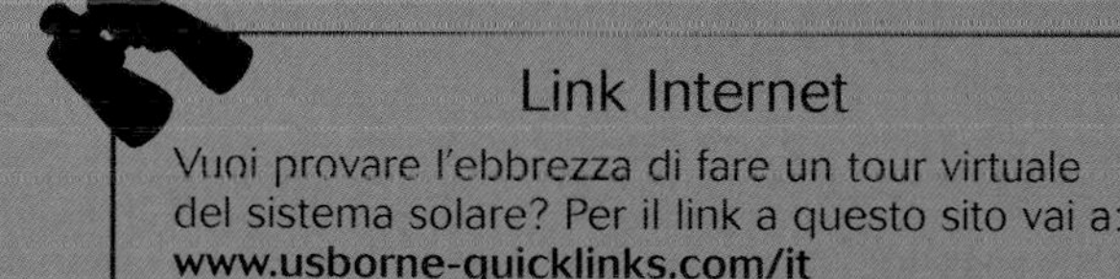

Link Internet

Vuoi provare l'ebbrezza di fare un tour virtuale del sistema solare? Per il link a questo sito vai a: **www.usborne-quicklinks.com/it**

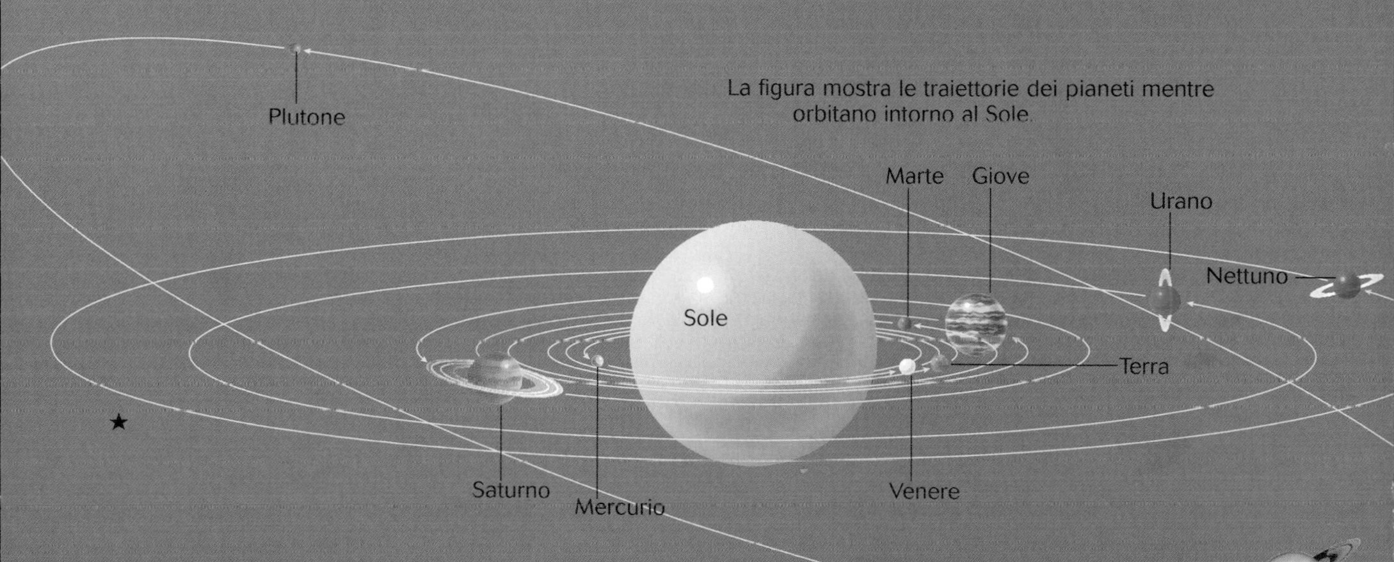

La figura mostra le traiettorie dei pianeti mentre orbitano intorno al Sole.

Un cielo in movimento

Ciò che vediamo in cielo si sposta continuamente. Per esempio le stelle sembrano cambiare posizione nel corso della notte oppure compaiono o spariscono a seconda delle stagioni. Questi cambiamenti in realtà sono causati dal movimento della Terra.

Fotografia scattata usando una tecnica speciale per fare vedere il percorso delle stelle durante la notte. Le scie di luce indicano il loro movimento.

La Terra gira

Se guardiamo dal finestrino di un treno in movimento, sembra che le cose all'esterno si muovano nel senso opposto alla nostra direzione di marcia, quando invece sono ferme. La rotazione della Terra fa lo stesso effetto. Anche il Sole e le stelle sembrano andare nel senso opposto alla Terra, ma in realtà si muovono pochissimo.

La Terra compie un giro su se stessa in 24 ore, ma a noi sembra che siano il Sole e la Luna a girarle intorno.

Lo sapevi? Orbitando intorno al Sole, la Terra percorre 942 milioni di km all'anno.

Dove ci troviamo?

Non è soltanto la rotazione terrestre a determinare quali stelle possiamo vedere ma anche la nostra posizione sulla Terra. Gli scienziati dividono la Terra in due metà, chiamate emisfero nord (o boreale) ed emisfero sud (o australe). Chi si trova nell'emisfero nord vede stelle diverse da chi si trova in quello sud.

La costellazione dell'Orsa Maggiore (o Gran Carro) è visibile nell'emisfero nord ma non in quello sud.

Emisfero boreale

Emisfero australe

La costellazione della Croce del Sud è visibile nell'emisfero sud ma non in quello nord.

Un panorama che cambia

Le stelle cambiano anche a seconda delle stagioni, perché la Terra si sposta intorno al Sole e ci fa vedere zone diverse dello spazio. Il nostro pianeta si muove sempre nella stessa direzione e più o meno sempre alla stessa velocità, perciò è possibile sapere quali stelle saranno visibili nei vari periodi dell'anno.

Link Internet

Approfondimenti sul moto di rotazione e su quello di rivoluzione terrestri. Per il link a questo sito vai a: **www.usborne-quicklinks.com/it**

I primi passi

Migliaia di stelle e perfino alcuni pianeti sono visibili a occhio nudo. Se usi un binocolo o un telescopio, però, potrai vedere molti altri corpi celesti e tutto apparirà più grande, più luminoso e più nitido.

Come iniziare

Se hai appena cominciato a interessarti all'astronomia, lo strumento ideale è il binocolo. Certo, non è potente quanto un telescopio, ma costa molto meno ed è più facile da usare. Il binocolo ti consentirà di vedere meglio molti corpi celesti tra cui migliaia di stelle, e perfino le montagne e i crateri della Luna.

Com'è fatto il binocolo

Il binocolo consente la visione con entrambi gli occhi grazie a due gruppi ottici montati in parallelo. Contiene due tipi di lenti di vetro: gli obiettivi e le lenti di ingrandimento. Quando inquadri un oggetto, la luce passa attraverso gli obiettivi e forma un'immagine di ciò che stai guardando. Poi la luce arriva alle lenti e l'immagine viene ingrandita. Gli obiettivi però capovolgono l'immagine; per raddrizzarla, nel binocolo ci sono anche dei prismi di vetro.

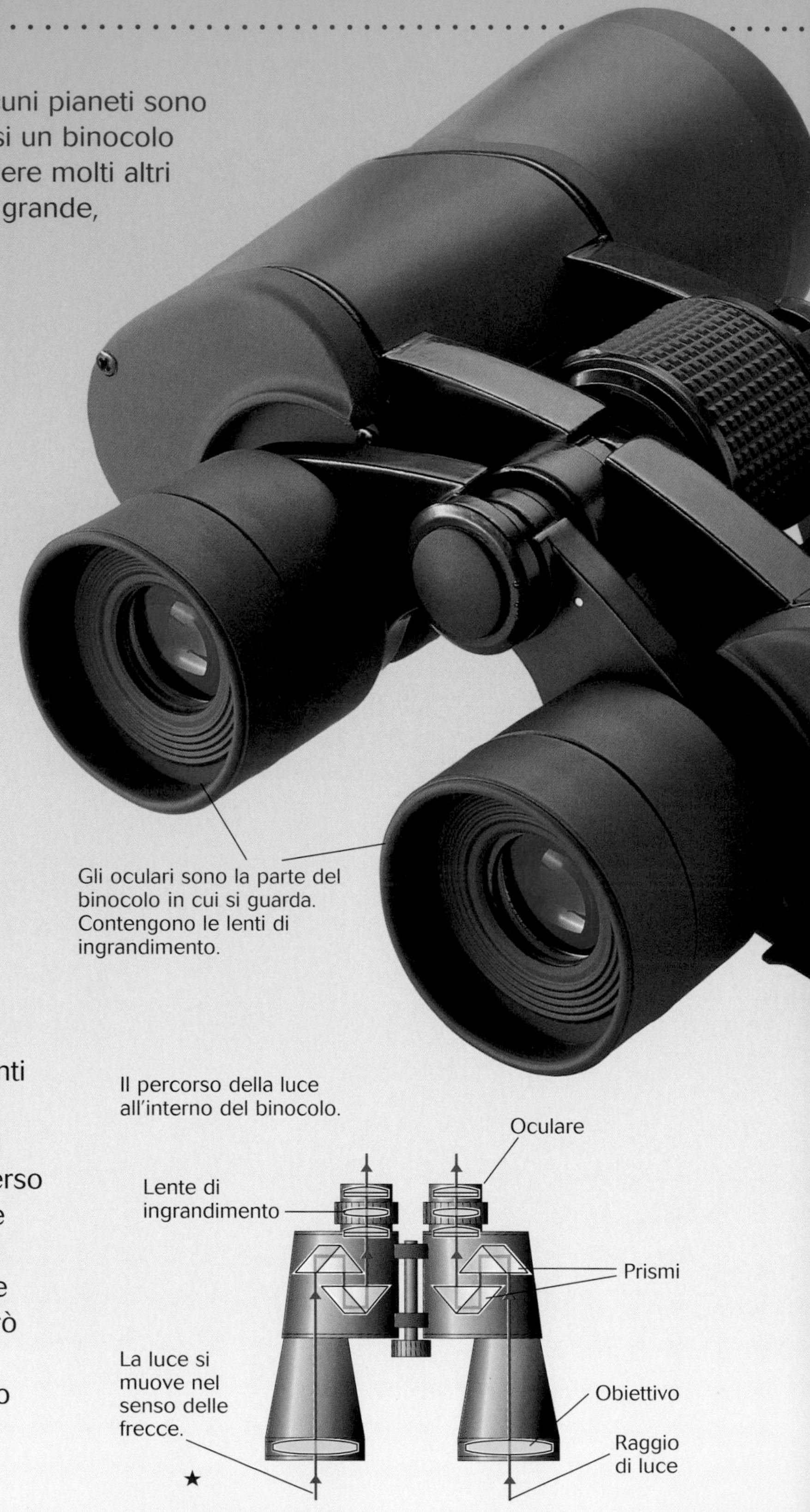

Gli oculari sono la parte del binocolo in cui si guarda. Contengono le lenti di ingrandimento.

Il percorso della luce all'interno del binocolo.

Questo è un normale binocolo di peso medio.

A quest'altra estremità del binocolo c'è l'obiettivo.

Come si usa

Tieni sempre il cinturino del binocolo intorno al collo, in modo che non ti cada. Per avere una buona immagine è importante rimanere fermi, magari appoggiando i gomiti sulle ginocchia se sei seduto o su un muretto se sei in piedi. Altrimenti puoi usare un supporto per il binocolo, ad esempio un treppiede.

Da seduto, tieni le mani ferme appoggiando i gomiti sulle ginocchia.

Se sei in piedi puoi provare ad appoggiarti ad un muretto

Link Internet

Tantissime informazioni per astrofili, sia principianti che esperti. Per il link a questo sito vai a: **www.usborne-quicklinks.com/it**

Potenza e dimensioni

I binocoli in commercio hanno varie dimensioni e potenze. Ad esempio, quello nella figura qui sopra è un 10 x 50. Il primo numero si riferisce al numero di ingrandimenti che è possibile ottenere con un dato binocolo: nel nostro caso, dieci volte. Il secondo numero indica il diametro, in millimetri, delle lenti anteriori, o obiettivi: più questo è grande, più luce entra nel binocolo e più le immagini risultano luminose e nitide.

Osservare le stelle

Una notte senza nuvole è l'ideale per esplorare il cielo. Se possibile, dovresti andare all'aperto in un luogo dove ci sia poca luce, meglio ancora se completamente buio. Copriti bene e porta con te carta e penna per annotare ciò che vedi. Fatti sempre accompagnare da un genitore o un adulto responsabile.

Lo sapevi? Un binocolo medio, tra 7 x 30 e 10 x 50, è la scelta migliore per chi inizia a interessarsi all'astronomia.

Il telescopio

Rispetto al binocolo, un telescopio permette di vedere molti più dettagli, ma è più difficile da usare. Ci sono due tipi di telescopi: a rifrazione e a riflessione.

Differenze fra i telescopi

Il telescopio a rifrazione funziona come il binocolo. A un'estremità c'è un obiettivo che fa entrare la luce nel corpo del telescopio e all'altra, nell'oculare, c'è una lente di ingrandimento.

Il telescopio a riflessione invece usa degli specchi per catturare la luce. Quando questa entra nel corpo del telescopio, lo specchio primario la riflette su quello secondario, che poi la riflette nella lente dell'oculare.

Il percorso della luce all'interno di un telescopio a rifrazione...

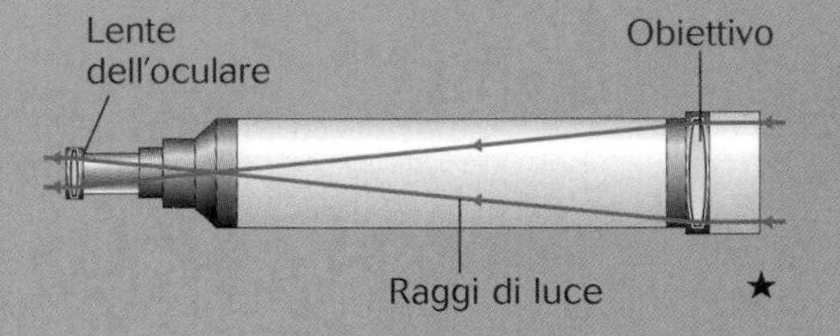

... e di un telescopio a riflessione.

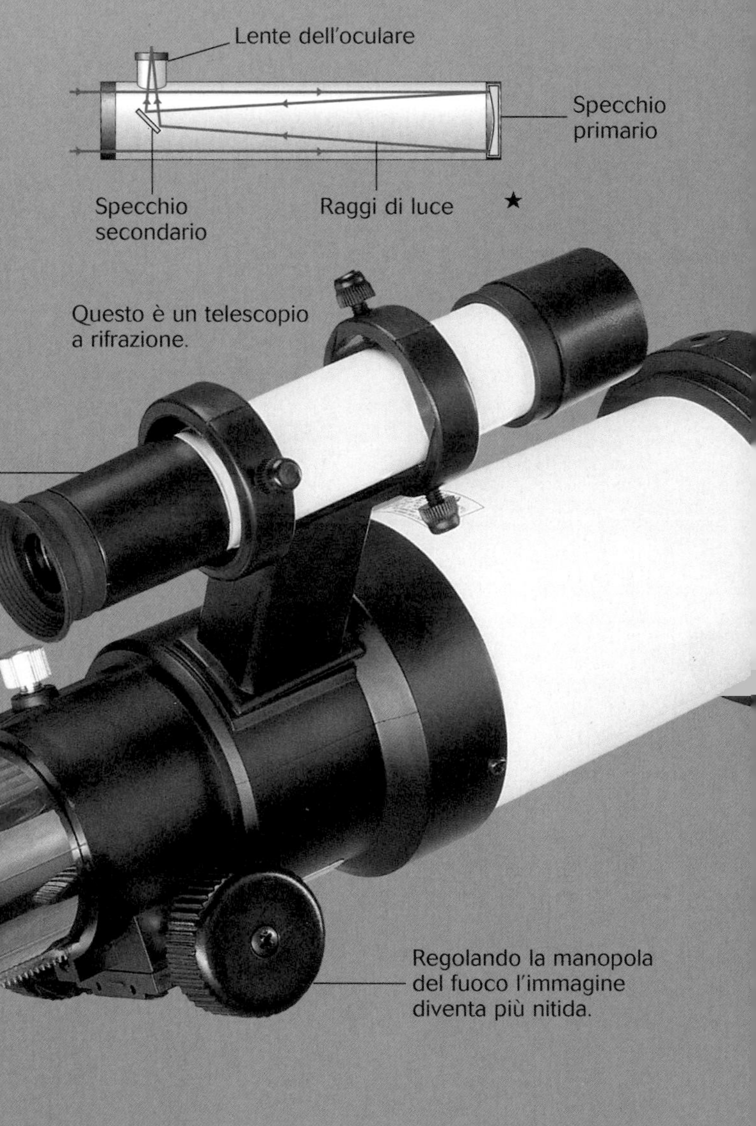

Questo è un telescopio a rifrazione.

Questo è un "cercatore", un mini-telescopio a bassa potenza. È unito al telescopio principale e serve per allinearlo con l'oggetto che si vuole vedere.

Per vedere l'immagine devi guardare nell'oculare.

Regolando la manopola del fuoco l'immagine diventa più nitida.

Varie potenze

Più l'obiettivo o lo specchio primario sono grandi, più un telescopio è potente e più cose si possono vedere. Se vuoi comprarne uno, è meglio scegliere un telescopio a rifrazione con un obiettivo dal diametro di almeno 75 mm, oppure uno a riflessione con uno specchio primario dal diametro di almeno 115 mm.

Come si usa

Se inizi con un oculare a basso ingrandimento vedrai una parte di cielo abbastanza grande e ti sarà più facile trovare ciò che cerchi. Allinea il telescopio con il cercatore e con questo scegli una stella piuttosto luminosa. Quando la stella si troverà nel centro del cercatore, sarà visibile anche nell'oculare del telescopio. A volte sarà necessario regolare la manopola del fuoco finché l'immagine non risulterà sufficientemente nitida.

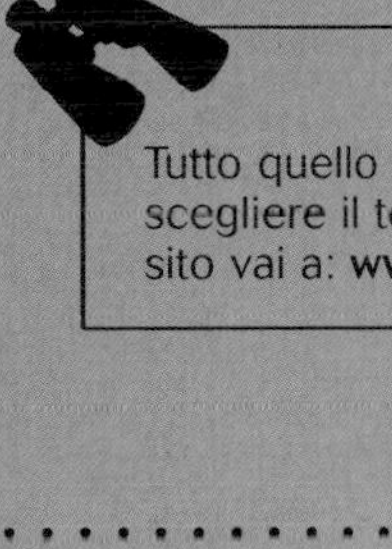

Link Internet

Tutto quello che c'è da sapere su come scegliere il telescopio. Per il link a questo sito vai a: **www.usborne-quicklinks.com/it**

Più in là nello spazio

Per poter vedere le stelle più lontane, oppure per osservare meglio quelle più vicine e i pianeti, sono necessari telescopi molto grandi e potenti che sono ospitati presso costruzioni chiamate osservatori. Altri telescopi sono montati su sonde o satelliti artificiali, in orbita intorno alla Terra.

Link Internet

Immagini commentate e novità dal telescopio spaziale Hubble. Per il link a questo sito vai a: **www.usborne-quicklinks.com/it**

Telescopi giganti

I telescopi più grandi appartengono alle università o ad enti statali e sono usati soprattutto da astronomi professionisti, ma spesso gli osservatori vengono aperti al pubblico. Al loro interno quasi sempre ci sono delle mostre che spiegano ciò che è stato scoperto. Molti hanno anche dei siti Internet con le ultime immagini dallo spazio.

Questo è il VLA ("Very Large Array"), un gruppo di radiotelescopi del New Mexico, negli Stati Uniti. Riesce a captare corpi celesti lontanissimi, molto oltre il nostro sistema solare.

Gli osservatori

I telescopi dell'Osservatorio Keck nelle isole Hawaii sono in grado di vedere stelle in parti dell'universo molto distanti da noi.

Gli osservatori sono quasi sempre costruiti in cima a colline, lontano dalle luci della città. I telescopi a riflessione dell'Osservatorio Keck, per esempio, si trovano a 4.000 m su una montagna nelle Hawaii. Sono i più grandi del mondo: i loro specchi primari hanno un diametro fra gli 8 e i 10 m.

I radiotelescopi

Per captare le onde radio emesse da stelle, galassie e altri corpi celesti gli astronomi usano i radiotelescopi, che perciò spesso hanno forma di grande parabola. Studiando i segnali, si può capire di che cosa sono fatti questi corpi e come si muovono.

Queste enormi parabole captano i segnali che arrivano dallo spazio. Mettendone diverse insieme, gli astronomi riescono a ricevere segnali anche molto deboli.

I telescopi spaziali

Nel 1990 è stato lanciato nello spazio il telescopio Hubble, che ha uno specchio primario dal diametro di 2,30 m. Compie un giro intorno alla Terra ogni 90 minuti a un'altezza di circa 595 km. Ogni tanto è visibile dalla Terra: sembra una stella poco luminosa che si sposta attraverso il cielo. Su Internet si trovano migliaia di splendide fotografie scattate da Hubble.

Questa foto, ripresa dal telescopio spaziale Hubble, mostra parte della nebulosa Omega (o nebulosa Cigno), a circa 5.000 anni luce di distanza dalla Terra.

Le sonde spaziali

Per esplorare il nostro sistema solare sono state lanciate nello spazio decine di sonde, navicelle senza equipaggio non destinate a ritornare sulla Terra, che trasmettono bellissime immagini di pianeti lontani. Le sonde Voyager 1 e Voyager 2 sono arrivate più lontano di qualsiasi altra navicella spaziale. Su Internet è possibile seguirne i progressi.

Il Sole

Il Sole è un'enorme sfera di gas infuocati che ci fornisce luce e calore. Senza il Sole, sul nostro pianeta non ci sarebbe vita. Ha un diametro di circa 1.400.000 km e al suo interno potrebbe contenere un milione di pianeti grandi quanto la Terra.

Questa fotografia del Sole è stata scattata dall'osservatorio spaziale SOHO.

Come osservarlo

Il Sole ha molte caratteristiche interessanti che sono visibili dalla Terra, ma è così luminoso che se lo si guarda direttamente provoca danni permanenti agli occhi e può anche far diventare ciechi. Ci sono comunque dei modi sicuri per osservare il Sole: per esempio, puoi proiettare la sua immagine su un cartoncino.

Per proiettare l'immagine del Sole devi usare un binocolo. Chiudi un obiettivo e punta l'oculare verso un cartoncino.

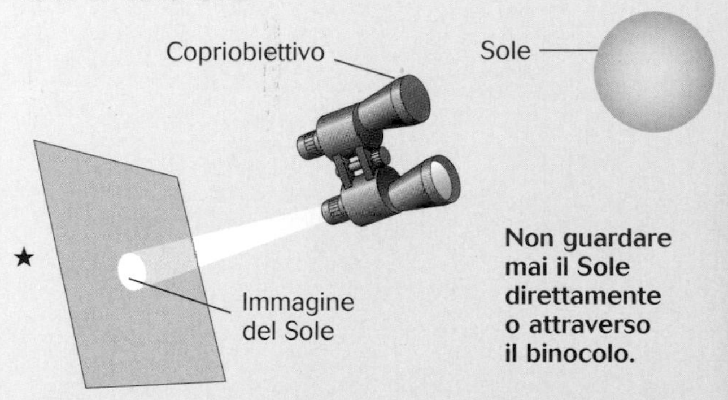

Non guardare mai il Sole direttamente o attraverso il binocolo.

Puntando verso il Sole l'obiettivo aperto, dovresti poter vedere un cerchio luminoso sul cartoncino. Regolando il fuoco otterrai un'immagine più nitida.

Filtri solari

Puoi osservare direttamente il Sole con un telescopio, ma solo usando dei filtri appositi per proteggere gli occhi dalla luce. Questi filtri devono essere comprati solo in negozi specializzati, spiegando bene al personale per che cosa ti servono. Usa solo filtri che si mettono davanti all'obiettivo: quelli che si avvitano sull'oculare costano meno, ma si rompono più facilmente e potrebbero far arrivare la luce del Sole ai tuoi occhi.

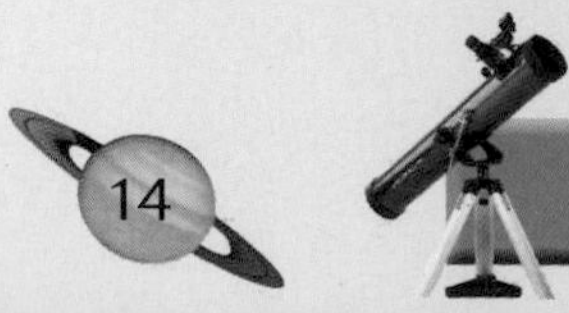

Lo sapevi? La temperatura all'interno del Sole arriva a più di 15 milioni di °C, sessantamila volte più calda di quella di un forno da cucina.

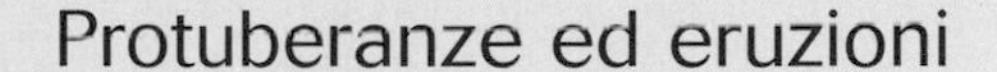

Protuberanze ed eruzioni

Le protuberanze sono giganteschi anelli di gas infuocati che si staccano dal Sole a velocità altissime. Di solito durano qualche ora e sono difficili da vedere, ma si possono osservare durante le eclissi solari (vedi alle pagg. 18 e 19) usando un metodo non rischioso per gli occhi. Ogni tanto questi gas infuocati esplodono in altissime colonne, chiamate eruzioni solari.

Protuberanze solari come questa possono essere alte anche 30.000 km.

Link Internet

Approfondimenti sul Sole con tante schede e filmati interessanti. Per il link a questo sito vai a: **www.usborne-quicklinks.com/it**

Le macchie solari

Con un metodo di osservazione non rischioso per gli occhi è anche possibile vedere chiazze scure sulla superficie del Sole. Si chiamano macchie solari e sono zone più fredde rispetto a quelle intorno. Infatti le macchie solari hanno una temperatura media di 4.000 °C, mentre la temperatura media sul resto della superficie del Sole è di 5.500 °C.

Ecco un'immagine ravvicinata di alcune macchie solari. Spesso si formano in gruppi simili a questo.

La Luna

La Luna è il secondo oggetto più luminoso in cielo. È molto vicina alla Terra e perciò tante delle sue caratteristiche sono visibili con un binocolo o con un piccolo telescopio.

I crateri

La Luna è coperta da milioni di buche, chiamate crateri, prodotte da altri corpi celesti che sono caduti sulla sua superficie. La maggior parte dei crateri è larga meno di 10 km, ma alcuni sono così grandi che in una notte serena si possono vedere a occhio nudo.

Largo 90 km, Copernico è uno dei più grandi crateri lunari. Quelli che sembrano sassolini al suo interno sono in realtà montagne.

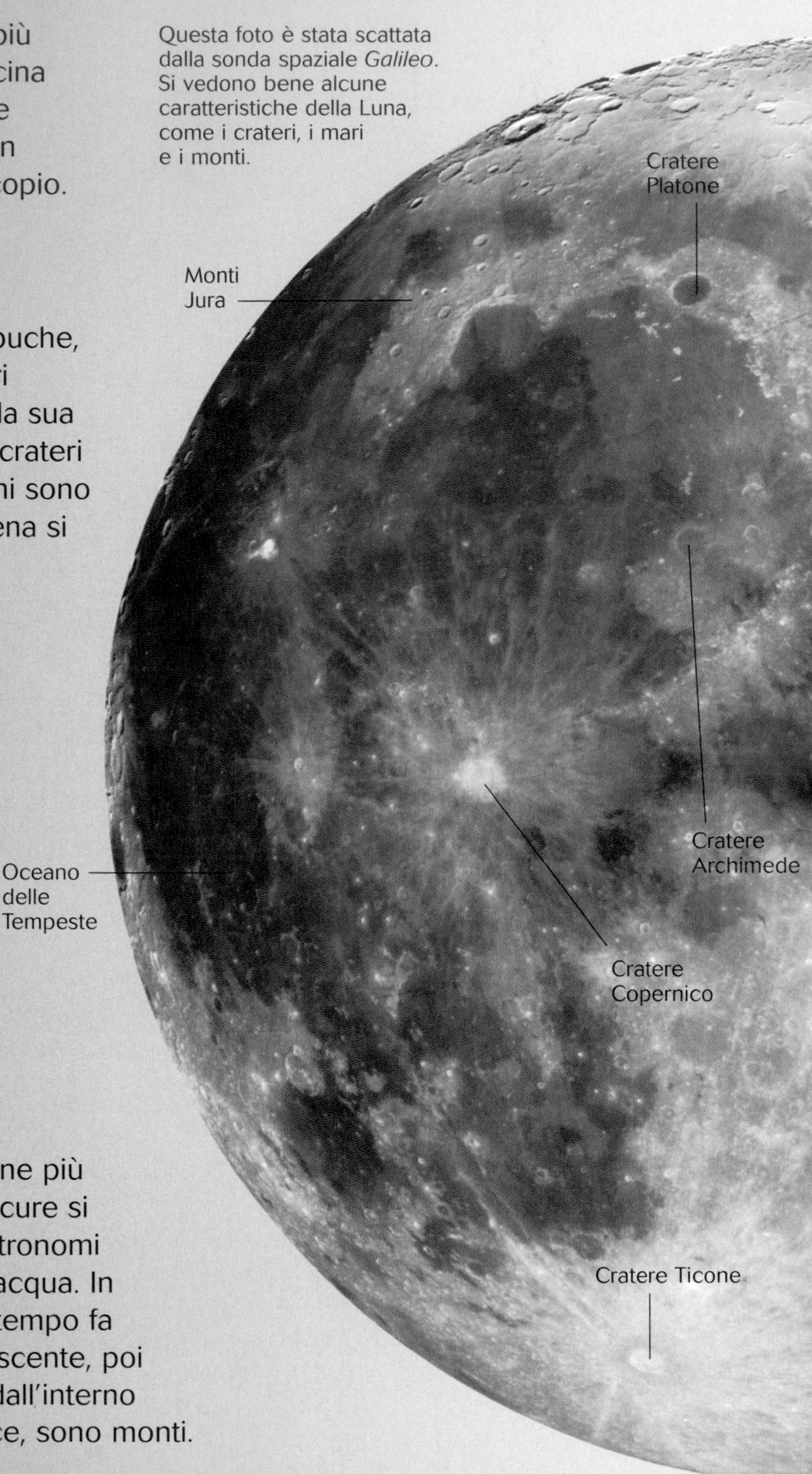

Questa foto è stata scattata dalla sonda spaziale *Galileo*. Si vedono bene alcune caratteristiche della Luna, come i crateri, i mari e i monti.

Mari e monti

Guardando la Luna si vedono zone più scure e altre più chiare. Quelle scure si chiamano mari perché i primi astronomi pensavano fossero coperte dall'acqua. In realtà sono aree che tantissimo tempo fa furono inondate da lava incandescente, poi raffreddata e solidificata, uscita dall'interno della Luna. Le zone chiare, invece, sono monti.

Lo sapevi? Molti miliardi di anni fa un enorme corpo celeste cadde sulla Terra. La Luna si formò proprio con le rocce e i detriti finiti nello spazio.

Una sola faccia...

Mentre orbita intorno alla Terra, la Luna gira anche su se stessa. Un giro dura 24 ore, proprio come per la Terra: è per questo che noi possiamo vederne sempre e solo una faccia. Quella opposta a noi viene chiamata la faccia nascosta della Luna.

Foto di un cratere sulla faccia nascosta della Luna, scattata dagli astronauti americani della navicella *Apollo 11*.

... e tante forme

La Luna non brilla di luce propria, ma riflette soltanto quella del Sole. Orbitando intorno alla Terra, ci mostra parti diverse della sua faccia illuminata e quindi sembra cambiare forma. Questi cambiamenti vengono chiamati fasi lunari.

Queste linee che partono dal cratere Ticone sono fatte di roccia e di polvere sparse a raggiera in seguito all'impatto di un grosso corpo celeste caduto sulla Luna.

Ecco l'aspetto della Luna in otto delle sue fasi

Le eclissi

Muovendosi nello spazio, a volte la Terra e la Luna bloccano a vicenda la luce del Sole. In questi casi abbiamo un'eclisse. Le eclissi non sono molto frequenti, ma sono spettacolari e molto ben visibili. Ne esistono due tipi: solari e lunari.

Una spettacolare immagine di eclisse solare totale. La luce azzurra intorno alla Luna è l'atmosfera del Sole, composta di gas, che viene detta corona.

Eclissi solari

Questo tipo di eclisse avviene quando la Luna si frappone fra la Terra e il Sole, proiettando un'ombra su una zona del nostro pianeta. Anche se in realtà è molto più piccola, la Luna ci sembra grande quanto il Sole, data la sua vicinanza alla Terra. È per questo che durante un'eclisse riesce a bloccare completamente la luce del Sole.

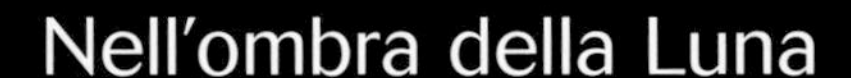

Nell'ombra della Luna

Un'eclisse solare è visibile solo se ci troviamo nella parte della Terra coperta dall'ombra della Luna. La parte esterna di questa zona si chiama penombra: qui abbiamo un'eclisse parziale, perché non tutta la luce viene bloccata e sembra che al Sole manchi un pezzo. Nella parte in ombra, invece, la Luna copre completamente il Sole e abbiamo un'eclisse totale. Del disco solare vediamo solo la corona.

Ecco come avvengono le eclissi.

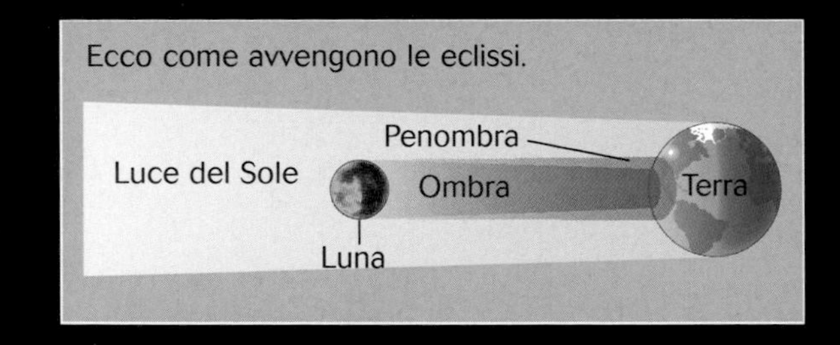

Link Internet

Perché avvengono e come osservare le eclissi di Sole e quelle di Luna. Per il link a questo sito vai a: **www.usborne-quicklinks.com/it**

Lo sapevi? In alcuni paesi la gente crede che le eclissi siano causate da un drago che cerca di mangiare il Sole, così fa rumore per spaventare l'animale e riavere la luce.

Eclissi anulari

Certe volte la Luna non riesce a coprire completamente il Sole e un anello di luce rimane visibile intorno al nostro satellite. Queste eclissi, che vengono chiamate anulari, avvengono quando la Luna si trova alla distanza massima dalla Terra e per questo motivo ci appare appena più piccola del Sole.

Durante le eclissi anulari, come quella nella foto, la corona del Sole non è visibile, ma intorno alla Luna c'è un anello di luce solare.

Eclissi lunari

Quando la Terra si frappone tra il Sole e la Luna, si verifica un'eclisse lunare. La Luna si sposta fino ad entrare nel cono d'ombra della Terra. Se la Luna si trova al centro del cono d'ombra l'eclisse è totale. Se invece parte della Luna si trova nella zona di penombra della Terra l'eclisse è parziale.

Attenzione

Quando osservi un'eclisse solare, usa sempre un metodo di osservazione non rischioso per gli occhi (vedi a pag. 14). Guardare direttamente il Sole, anche solo per qualche secondo, provoca danni permanenti agli occhi.

Osservare le eclissi lunari

Anche quando l'eclisse è totale, la Luna rimane visibile; però perde la sua luminosità e assume un colore rosso scuro. Le eclissi lunari appaiono uguali in qualsiasi punto della Terra e possono essere osservate senza particolari precauzioni.

L'ombra della Terra copre la Luna durante un'eclisse totale, colorandola di arancione.

Le stelle

Le stelle iniziano la loro vita in enormi vortici di gas e polveri, le nebulose. Possono durare diversi miliardi di anni e in quest'arco di tempo cambiano dimensioni, luminosità e tonalità finché non muoiono.

Rosse, bianche e blu

Le stelle vengono divise in categorie a seconda del calore della superficie. Quelle più calde di solito sembrano bianche o blu, mentre quelle più fredde sembrano rosse. Queste categorie vengono chiamate tipi spettrali e sono identificate da lettere dell'alfabeto.

Questi sono i principali tipi spettrali. Le stelle di tipo O sono le più calde, quelle di tipo M le più fredde.

Luminosità

Alcune stelle splendono più di altre. La loro luminosità viene misurata su una scala detta magnitudine. Dato che stelle anche molto luminose sembrano fioche perché sono molto lontane, gli astronomi distinguono la magnitudine apparente (cioè quanto le stelle *sembrano* luminose) dalla magnitudine assoluta (quanto lo sono *effettivamente*). Le stelle più luminose hanno una magnitudine uguale o inferiore a 0.

Stelle doppie

A volte sembra che le stelle abbiano una o più compagne. Quelle in coppia vengono chiamate stelle doppie. Alcune di queste in realtà sono lontane fra loro e sembrano doppie soltanto a noi che le vediamo dalla Terra. Altre invece sono effettivamente vicine e possono addirittura orbitare una intorno all'altra. Anche con un piccolo telescopio è possibile osservare molte stelle doppie.

Le due stelle nella parte superiore della foto formano il sistema di stella doppia *Zeta Scorpii*. Sembrano una accanto all'altra, ma in realtà non sono vicine.

Link Internet

Notizie su stelle, nebulose, ammassi e galassie, corredate da belle foto. Per il link a questo sito vai a: **www.usborne-quicklinks.com/it**

Lo sapevi? La stella più vicina al nostro sistema solare è *Proxima Centauri*. Si trova a 4,2 anni luce da noi.

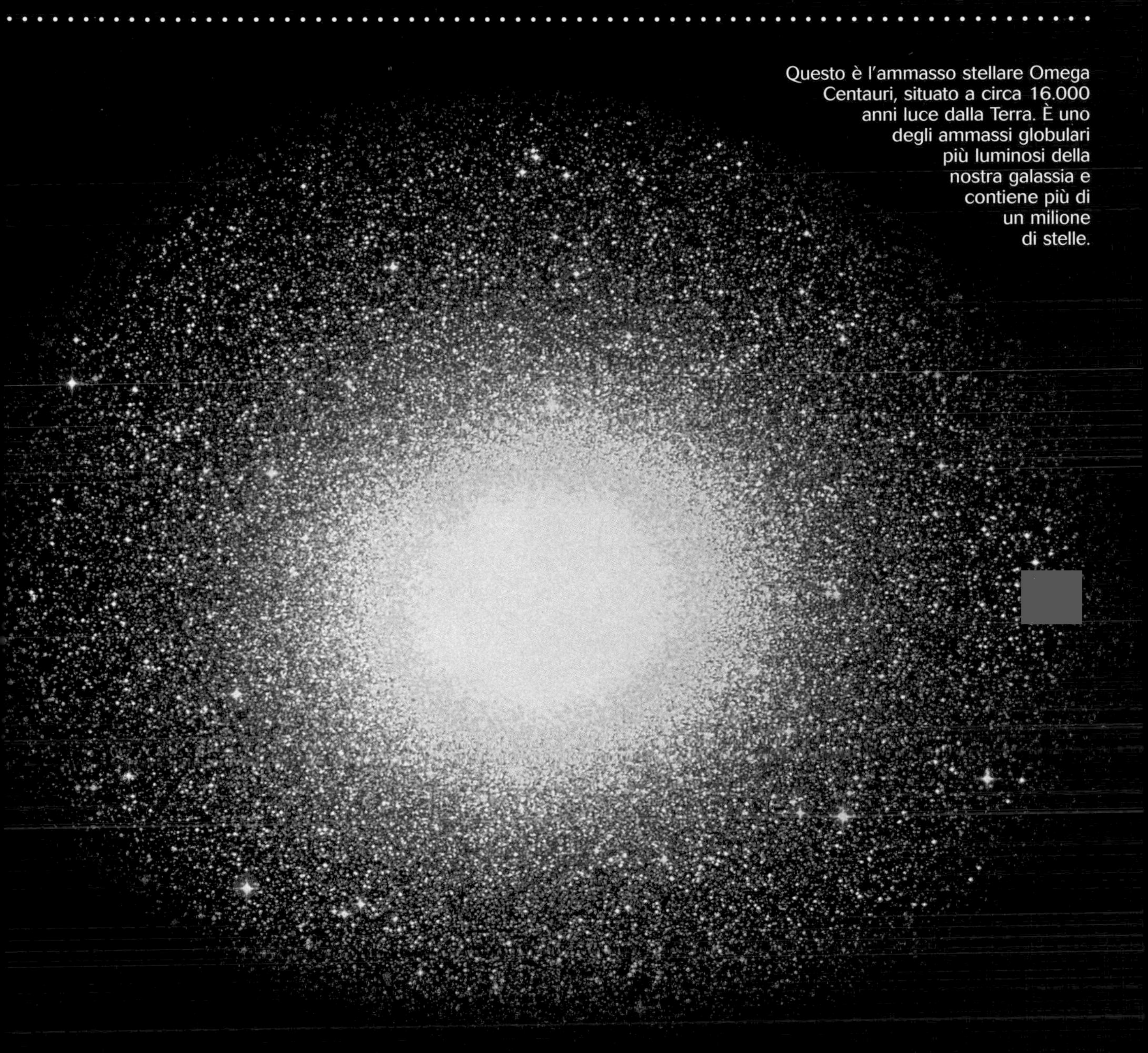

Questo è l'ammasso stellare Omega Centauri, situato a circa 16.000 anni luce dalla Terra. È uno degli ammassi globulari più luminosi della nostra galassia e contiene più di un milione di stelle.

Spesso le stelle si raggruppano in ammassi di due tipi: aperti e globulari. Gli ammassi aperti sono composti da stelle giovani e molto luminose, piuttosto lontane fra loro. Possono contenere da dieci a mille stelle. Quelli più grandi, come le Pleiadi, sono abbastanza luminosi da essere visibili a occhio nudo. Gli ammassi globulari sono composti da un numero altissimo di stelle vecchie in un gruppo molto compatto. Visti con un telescopio piccolo sembrano sfere di luce un po' sfocate. La maggior parte degli ammassi globulari visibili dalla Terra si trova ai bordi della nostra galassia.

Le galassie

Le galassie sono gruppi di stelle. Nell'universo ce ne sono miliardi e ognuna contiene a sua volta miliardi di stelle. Il nostro sistema solare fa parte della galassia chiamata Via Lattea.

Questa è la galassia NGC1232, lontana 100 milioni di anni luce dalla nostra.

Link Internet

Tutto sulle galassie, con immagini e filmati da scaricare. Per il link a questo sito vai a: **www.usborne-quicklinks.com/it**

Le forme delle galassie

Le galassie hanno varie forme: le più comuni sono a spirale, a spirale barrata ed ellittiche. Alcune non hanno una forma precisa e vengono chiamate irregolari. Se ne possono vedere tantissime: con un telescopio piccolo sembrano macchie sfocate di luce, ma con uno più potente si può riconoscere la loro forma.

Le galassie a spirale hanno un nucleo luminoso da cui partono due o più bracci che girano loro intorno.

In quelle a spirale barrata una barra attraversa il nucleo. I bracci partono dalle estremità della barra.

Le galassie ellittiche possono essere tonde, ovali (come quella nella figura) o perfino allungate.

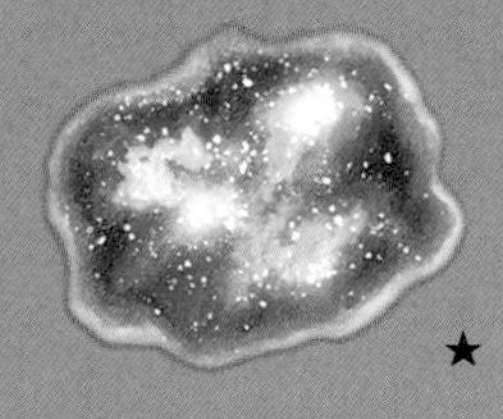

Spesso dallo scontro fra due galassie se ne forma una irregolare, come questa dell'illustrazione.

La nostra galassia

Dato che la Terra è all'interno della Via Lattea non possiamo osservare la nostra galassia dall'esterno ed è difficile capire che forma abbia. La maggior parte degli astronomi però ritiene che sia a spirale. In confronto ad altre galassie è grande: ha un diametro di circa 100.000 anni luce e contiene circa 200 miliardi di stelle.

Osservare la Via Lattea

Una parte della nostra galassia è visibile a occhio nudo. È come una larga striscia piena di stelle. Nelle notti serene, all'interno di questa striscia si vedono anche scie scure di polvere e nubi di stelle un po' più luminose. Il periodo migliore per osservarla va da luglio a settembre nell'emisfero nord e da ottobre a dicembre nell'emisfero sud.

Foto della Via Lattea scattata in Arizona, negli USA.

Gruppi di galassie

Come le stelle, anche le galassie possono raggrupparsi in ammassi. La nostra fa parte di un ammasso chiamato Gruppo Locale, che ha un diametro di cinque milioni di anni luce e contiene altre due galassie grandi e una trentina di galassie più piccole. In confronto ad altri ammassi è abbastanza piccolo, se si pensa che alcuni ne contengono anche 2.500, un numero davvero enorme!

Questa foto, scattata dal telescopio spaziale Hubble, mostra l'ammasso di galassie Abell 1689. È uno degli ammassi più grandi scoperti finora.

Le costellazioni

Da sempre, osservando il cielo notturno, gli uomini vedono delle figure formate da gruppi di stelle più luminose e dalla parte di cielo che le circonda: le costellazioni.

Nomi antichi

Le costellazioni ufficiali sono 88. Di solito hanno il nome di un animale o di un personaggio della mitologia greca. E unendo con una linea immaginaria le stelle principali della costellazione spesso è possibile vedere la forma dell'animale o del personaggio da cui ha preso nome.

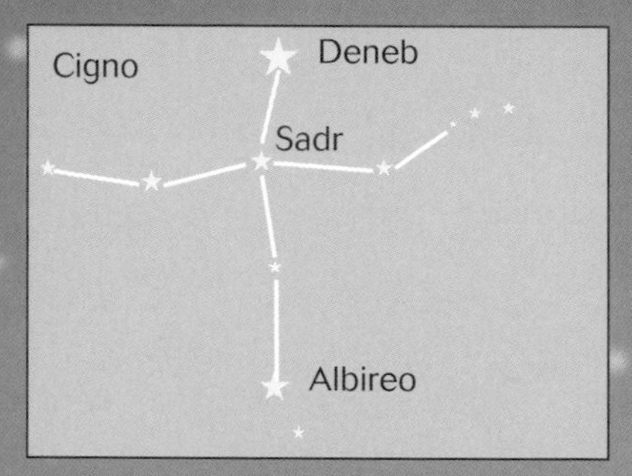

La costellazione del Cigno si chiama così perché ai primi astronomi pareva un uccello con le ali spiegate.

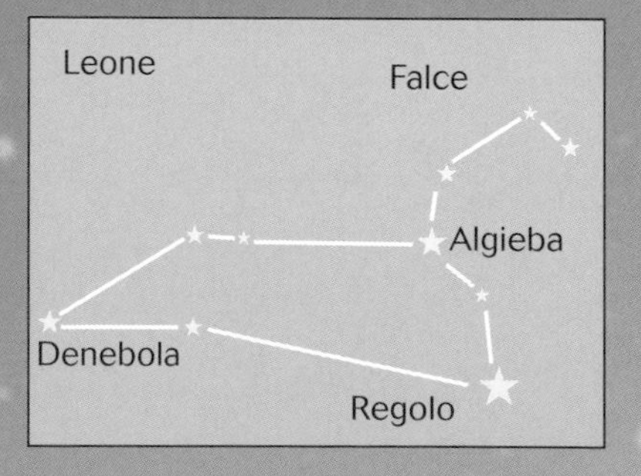

Nella costellazione del Leone, la parte che viene detta Falce rappresenta la testa del leone.

Vicine o lontane?

Le stelle nelle costellazioni sembrano vicine fra loro. In realtà non solo sono lontane l'una dall'altra, ma varia anche la loro distanza dalla Terra.

Ecco come ci appaiono dalla Terra le stelle di Orione. Sembrano tutte alla stessa distanza da noi.

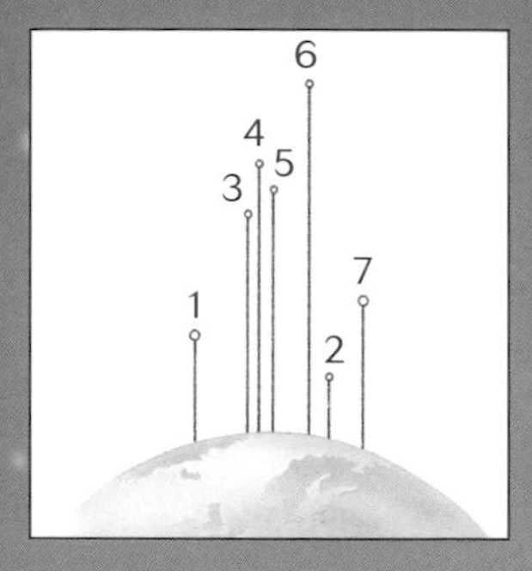

Questa figura mostra invece la distanza relativa dalla Terra delle stesse stelle.

La Croce del Sud è la costellazione più piccola.

Asterismi

Gruppi di stelle più piccoli, chiamati asterismi, sono formati da parti di una costellazione o da stelle appartenenti a costellazioni diverse. Per esempio, il Gran Carro è un asterismo che fa parte della costellazione dell'Orsa Maggiore.

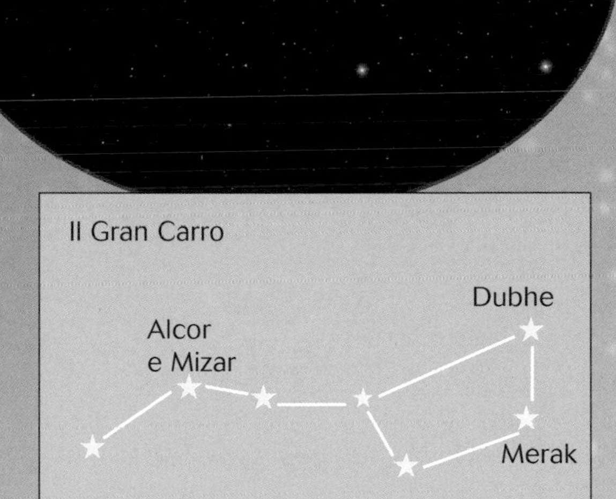

Questo è l'asterismo del Gran Carro. Sembra composto da sette stelle, ma in realtà una di queste è doppia.

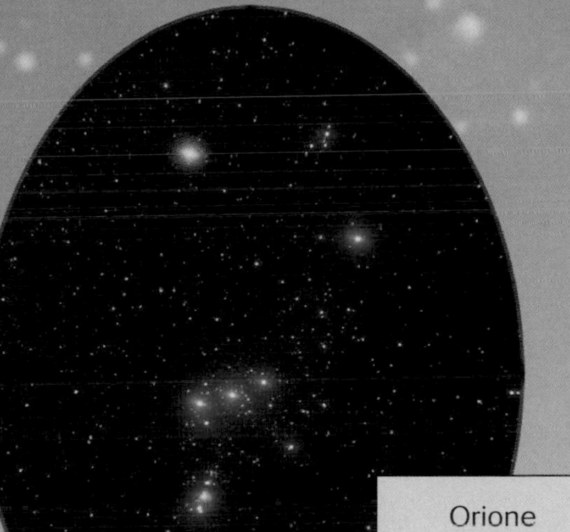

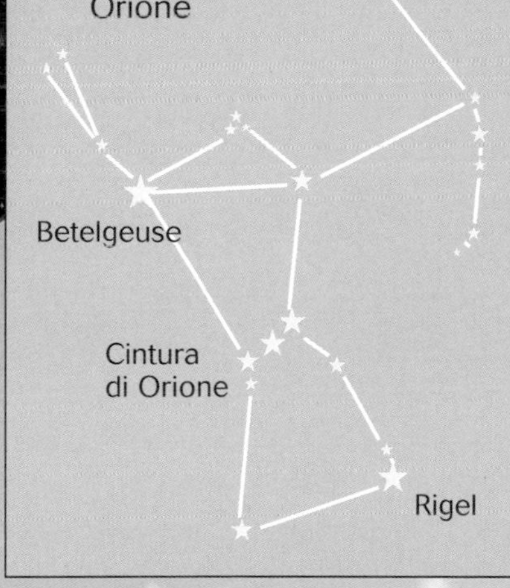

Orione contiene tante stelle molto splendenti, tra cui Rigel, la settima fra quelle più luminose nel cielo. Ne fa parte anche l'asterismo Cintura di Orione.

Carte celesti

Individuare le costellazioni non è sempre facile, ma ti puoi aiutare con le carte stellari, che mostrano dove costellazioni e stelle si trovano a seconda del periodo dell'anno e dell'emisfero considerati. Nelle otto pagine che seguono troverai delle carte stellari: per utilizzarle, scegli l'emisfero e la stagione che ti interessano, rivolgendo lo sguardo al cielo nella direzione indicata in fondo a ciascuna carta.

Link Internet

Le carte di tutte le 88 costellazioni, con brevi descrizioni e cenni storico-mitologici. Per il link a questo sito vai a: **www.usborne-quicklinks.com/it**

Da marzo a maggio

Carte per l'emisfero nord

Orari migliori per l'osservazione:
il 15 marzo alle 23.00
il 15 aprile alle 21.00
il 15 maggio alle 22.00

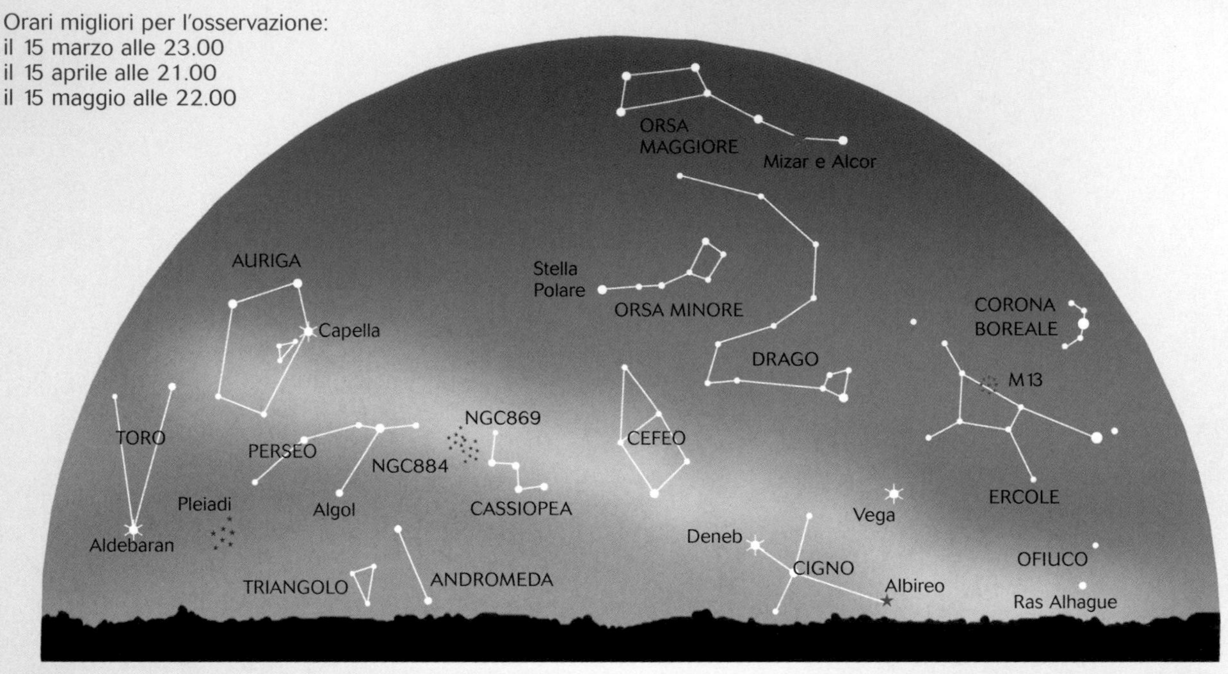

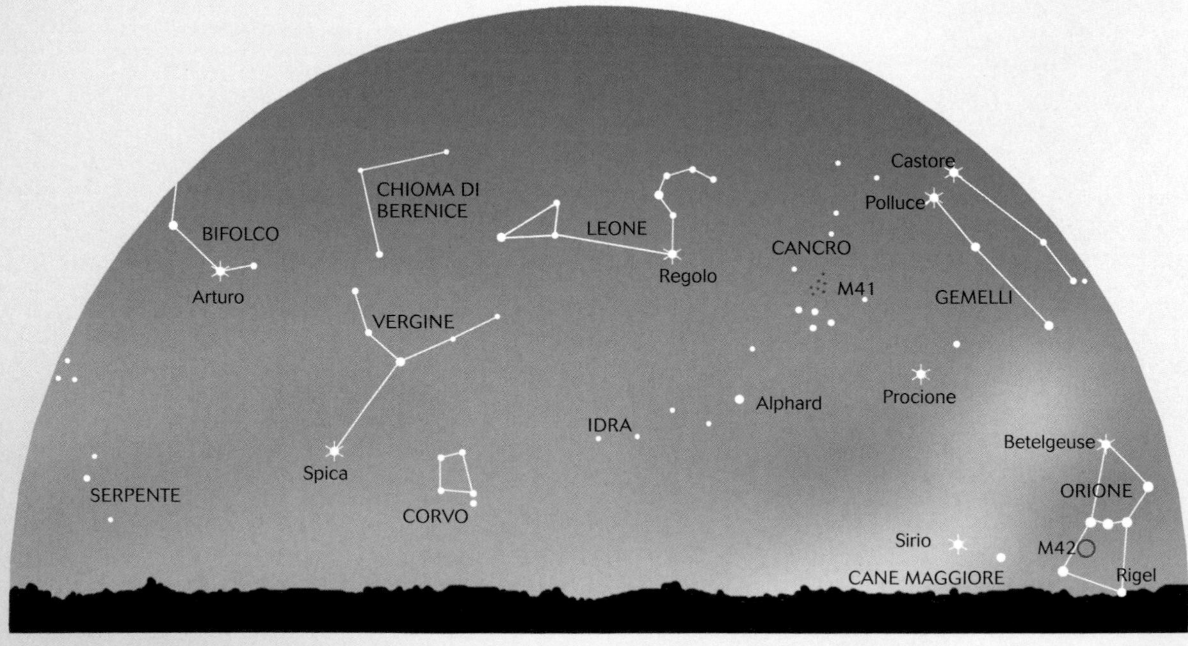

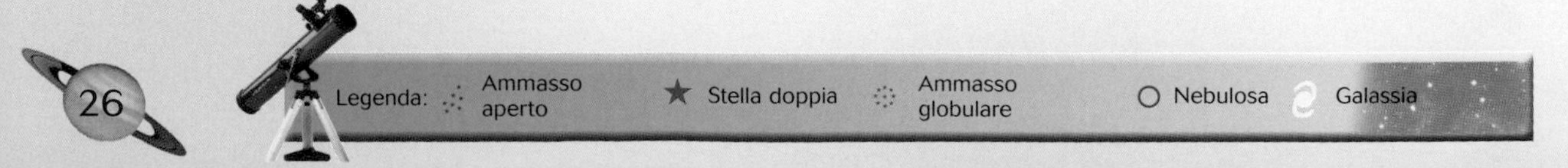

Carte per l'emisfero sud

Orari migliori per l'osservazione:
il 15 marzo alle 23.00
il 15 aprile alle 22.00
il 15 maggio alle 20.00

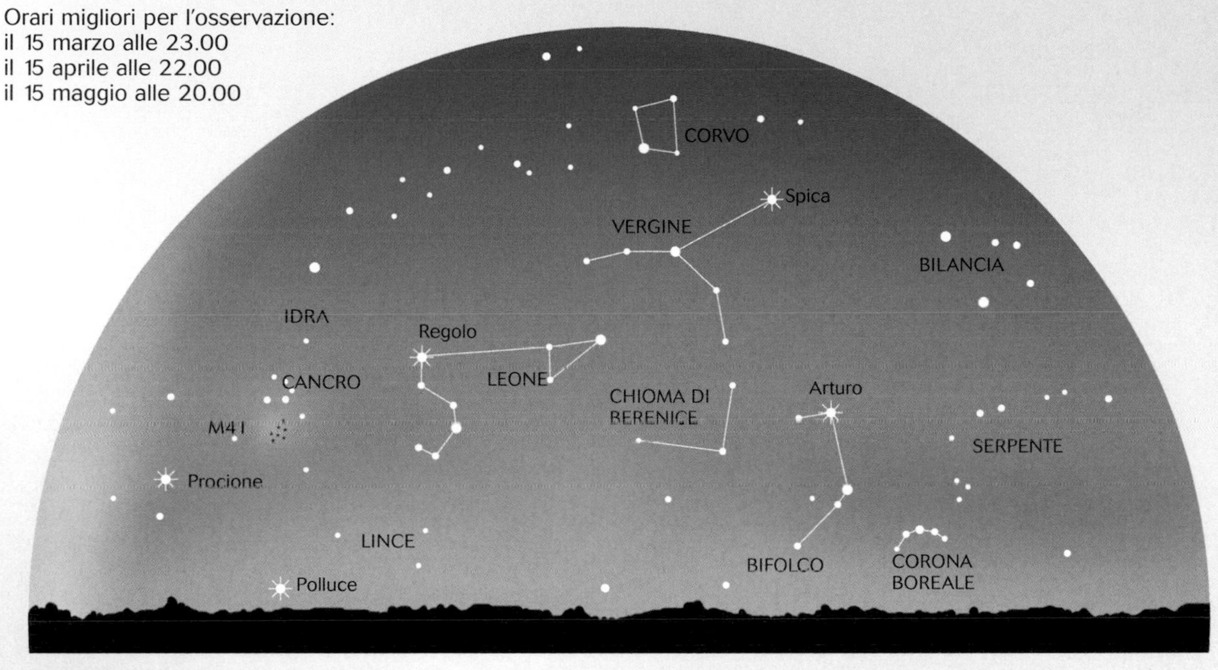

Ovest Guardando verso nord Est

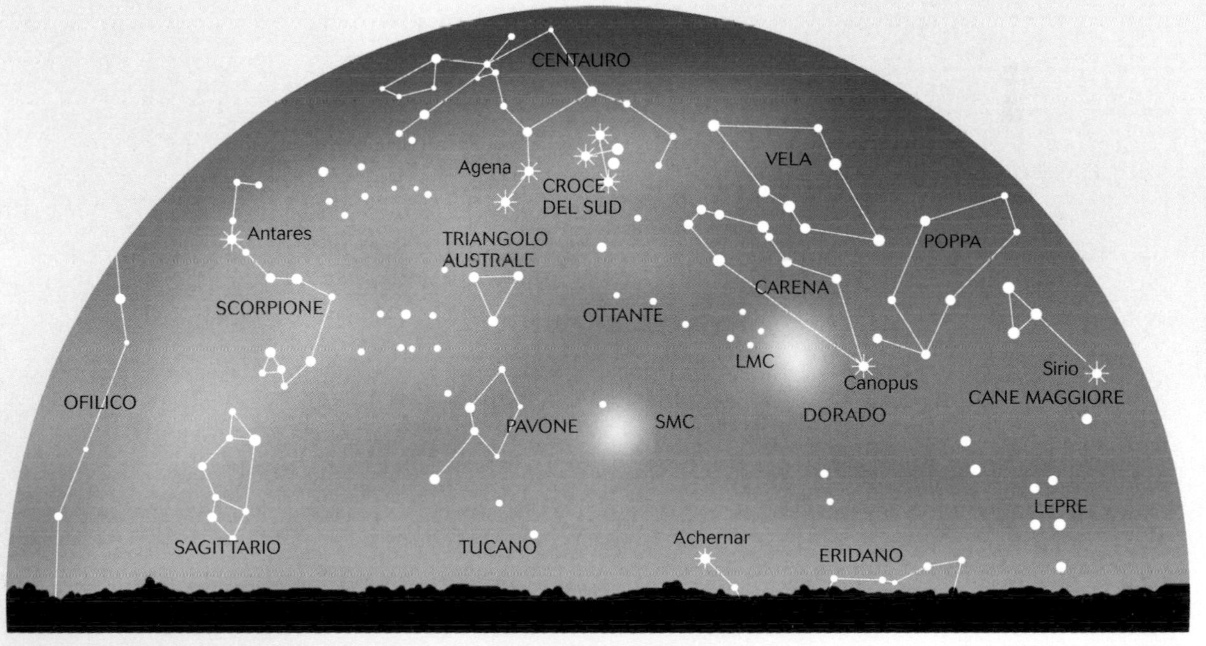

Est Guardando verso sud Ovest

Sciami di meteore visibili da marzo a maggio: Liridi, dal 18 al 22 aprile; Acquaridi primaverili, dal 2 al 7 maggio

Da giugno ad agosto

Carte per l'emisfero nord

Orari migliori per l'osservazione:
il 15 giugno alle 02.00
il 15 luglio a mezzanotte
il 15 agosto alle 22.00

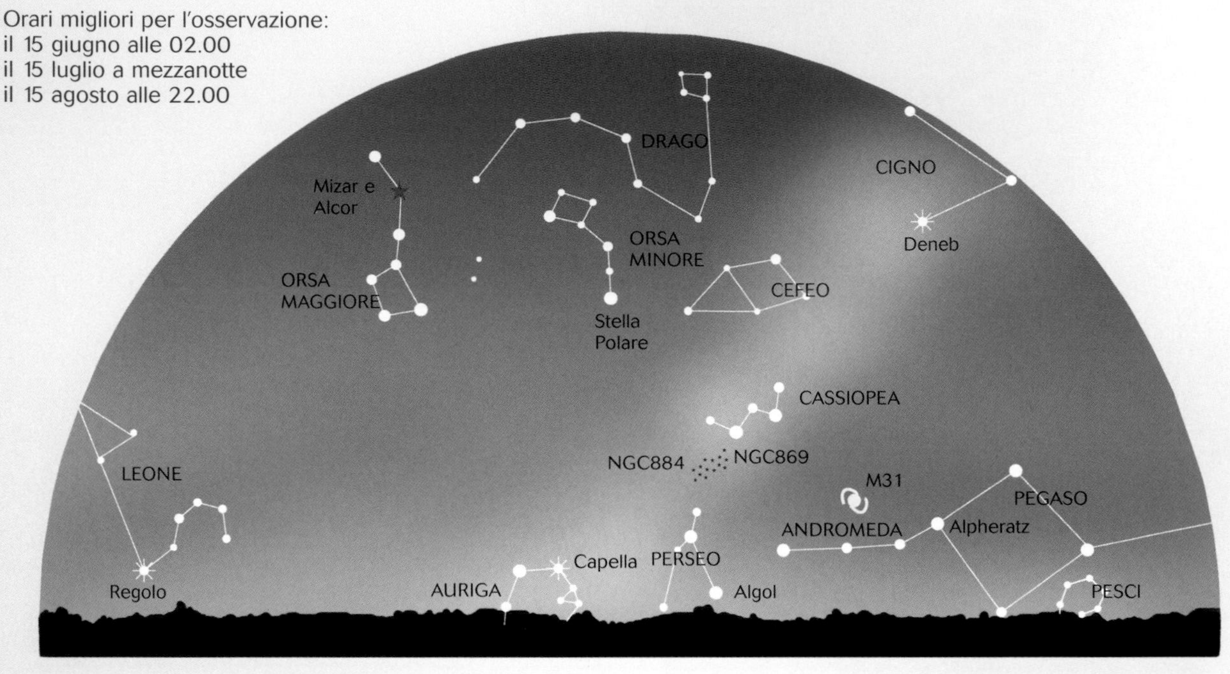

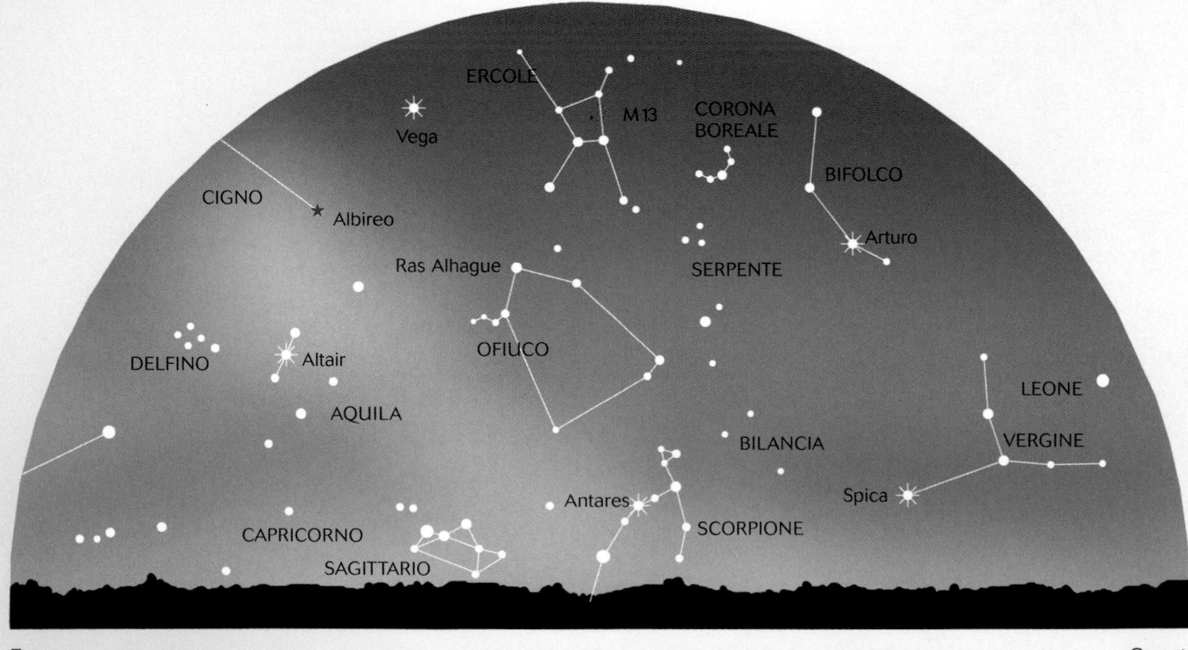

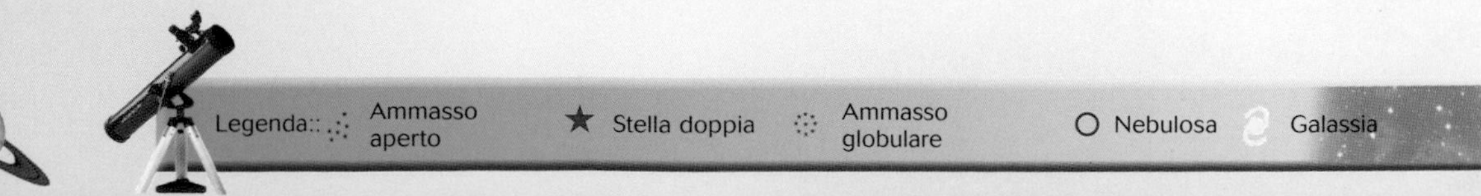

Carte per l'emisfero sud

Orari migliori per l'osservazione:
il 15 giugno a mezzanotte
il 15 luglio alle 22.00
il 15 agosto alle 20.00

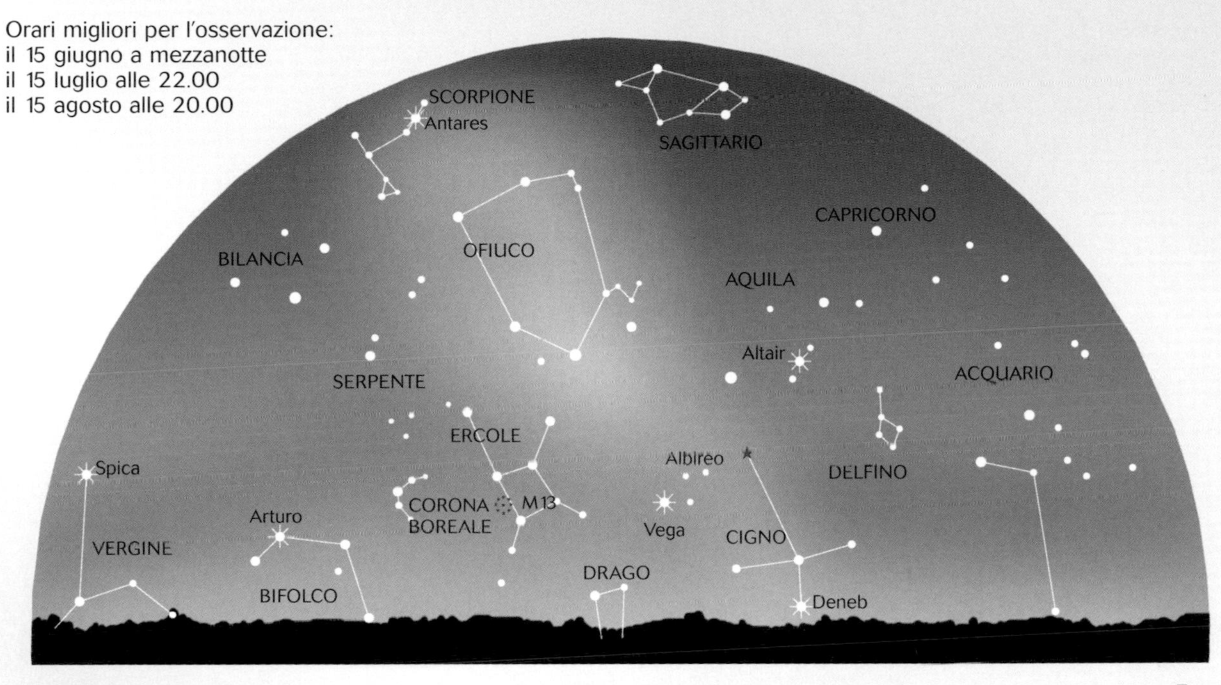

Ovest Guardando verso nord Est

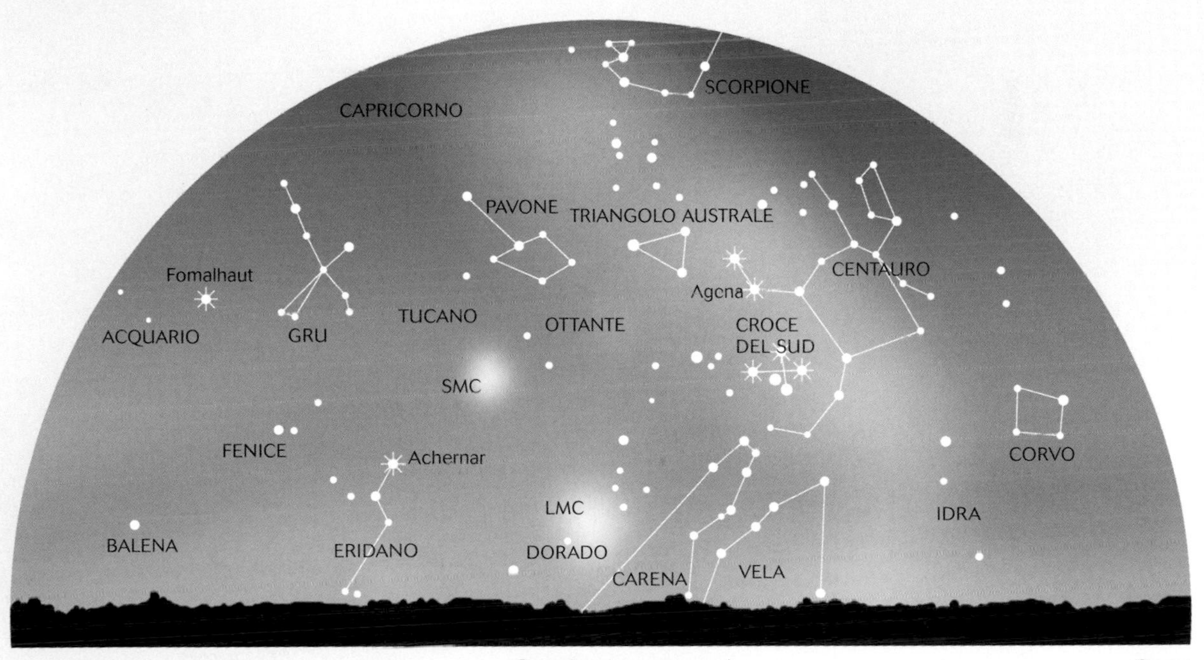

Est Guardando verso sud Ovest

Sciami di meteore visibili da luglio ad agosto: Acquaridi estive dal 26 al 31 luglio; Perseidi dal 10 al 14 agosto.

Da settembre a novembre

Carte per l'emisfero nord

Orari migliori per l'osservazione:
il 15 settembre alle 23.00
il 15 ottobre alle 22.00
il 15 novembre alle 20.00

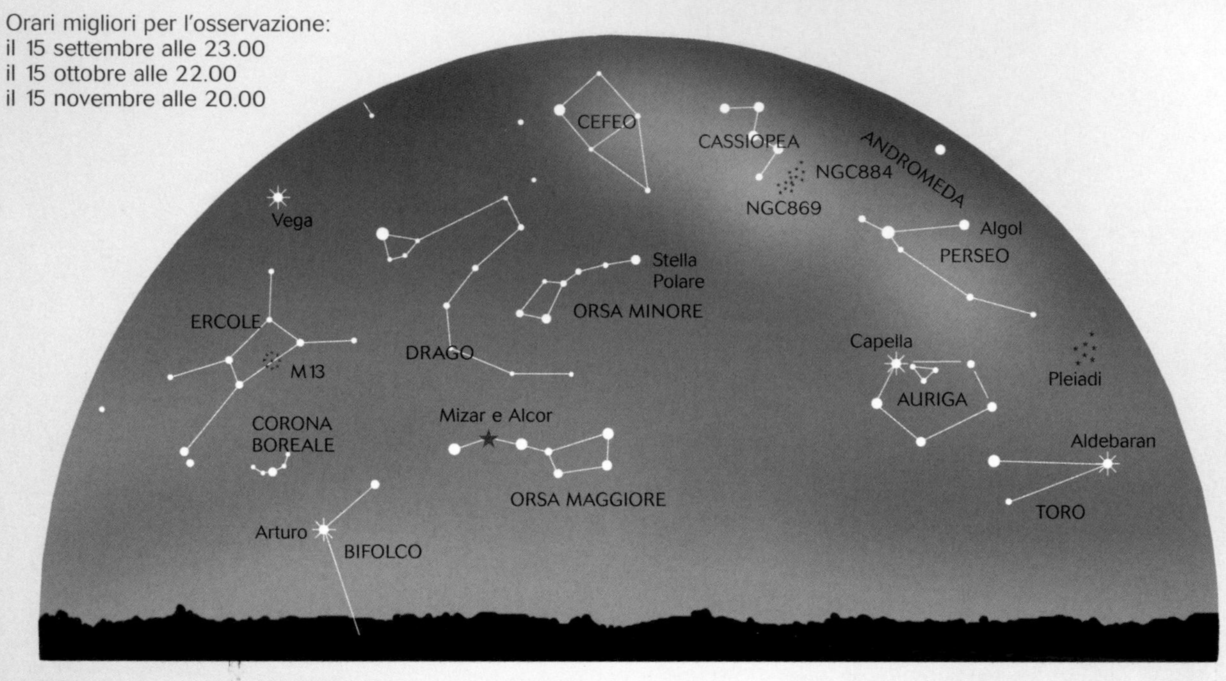

Ovest Guardando verso nord Est

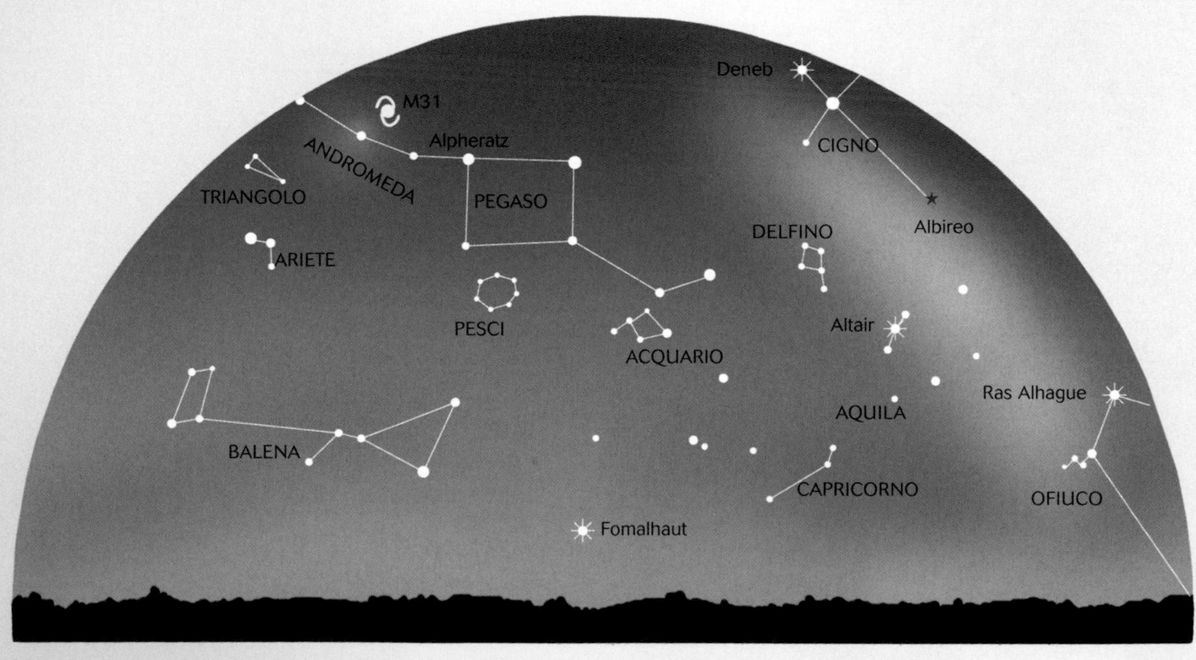

Est Guardando verso sud Ovest

Legenda: 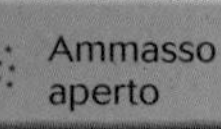 Ammasso aperto 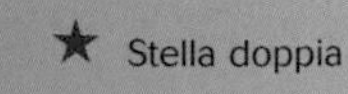 Stella doppia 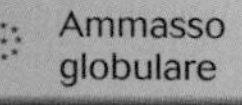 Ammasso globulare 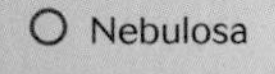 Nebulosa 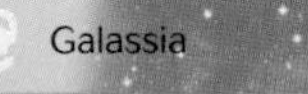 Galassia

Carte per l'emisfero sud

Orari migliori per l'osservazione:
il 15 settembre a mezzanotte
il 15 ottobre alle 22.00
il 15 novembre alle 20.00

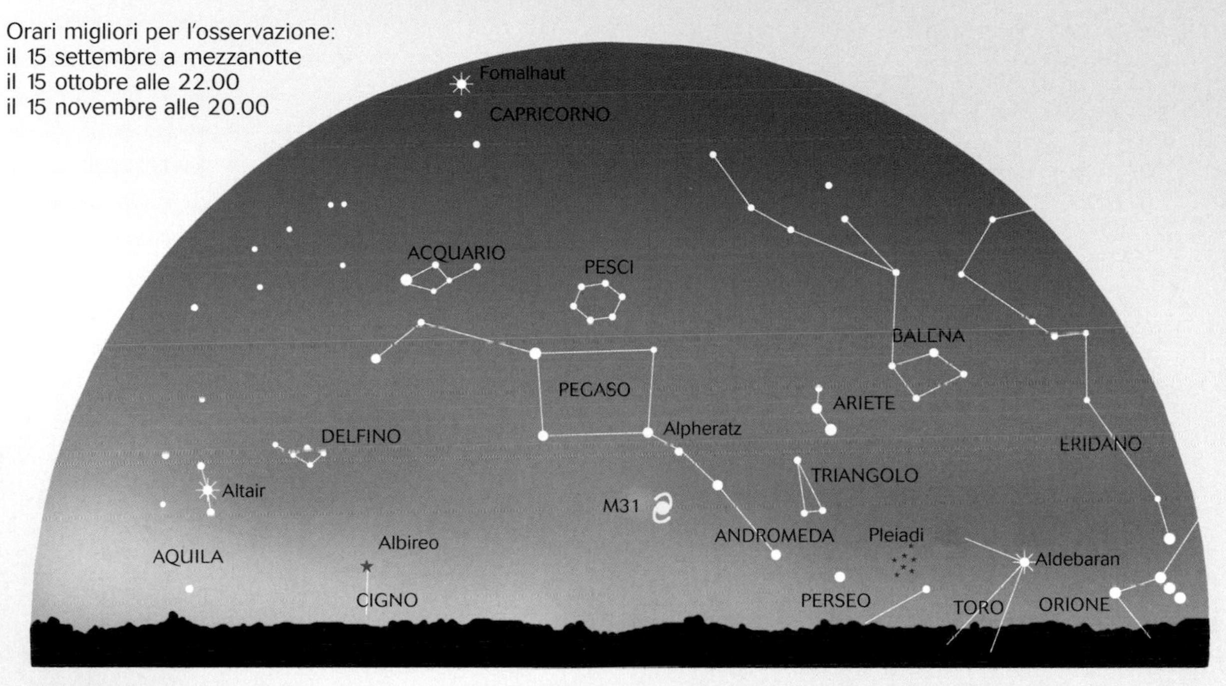

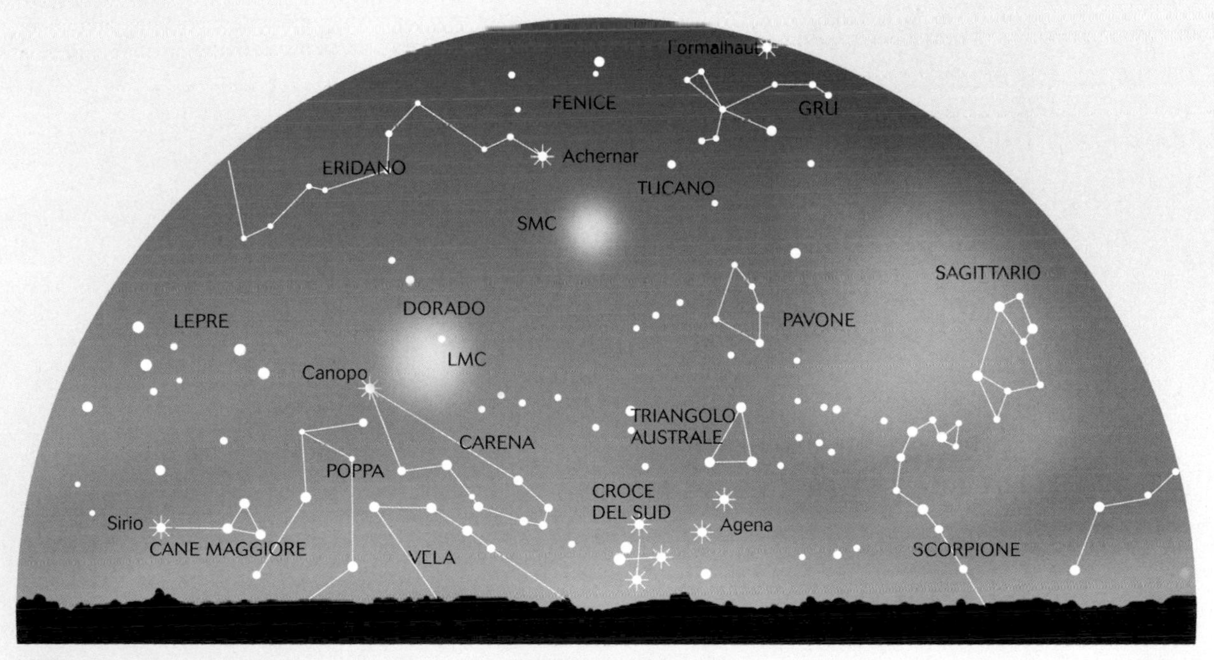

Sciami di meteore visibili da settembre a novembre: Orionidi dal 18 al 23 ottobre; Tauridi dal 1° al 7 novembre; Leonidi, dal 14 al 19 novembre.

Da dicembre a febbraio

Carte per l'emisfero nord

Orari migliori per l'osservazione:
il 15 dicembre alle 23.00
il 15 gennaio alle 21.00
il 15 febbraio alle 19.00

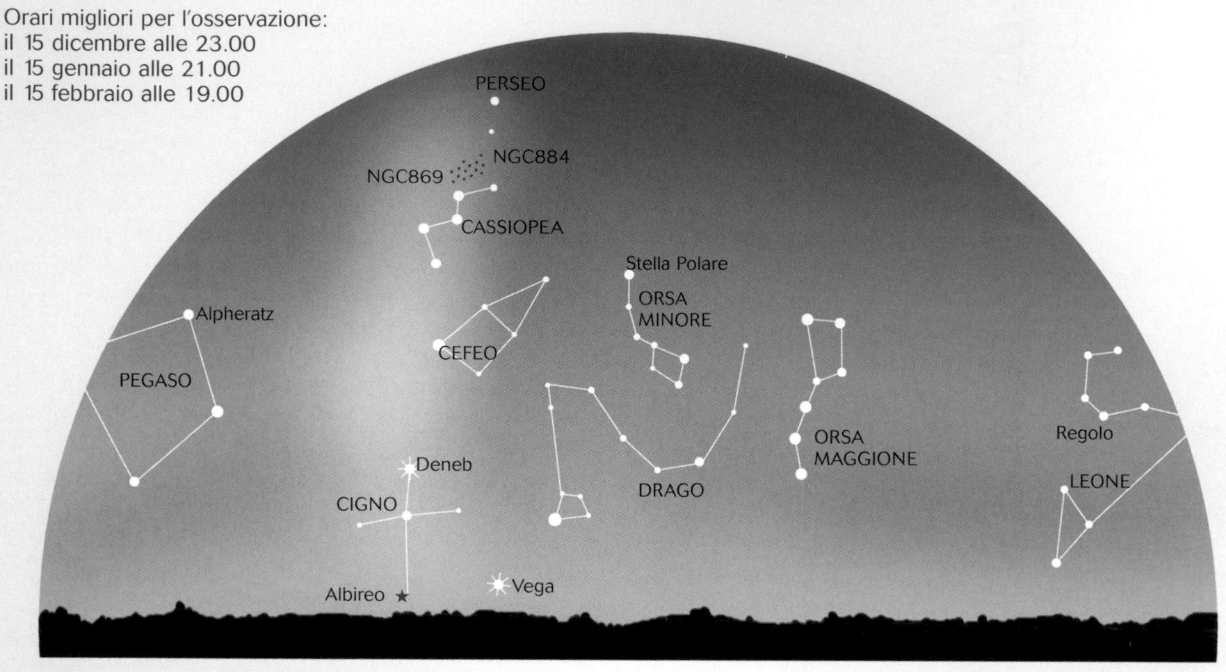

Ovest — Guardando verso nord — Est

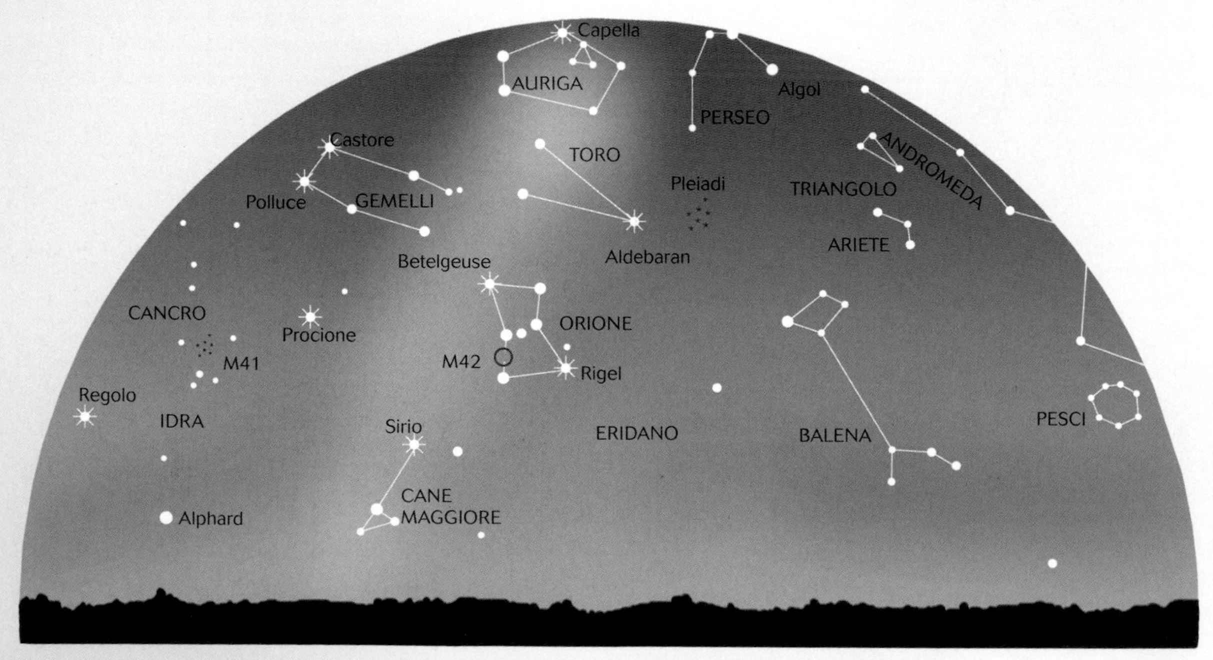

Est — Guardando verso sud — Ovest

Legenda:
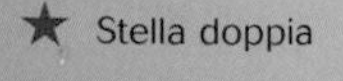
Ammasso aperto
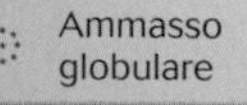
Stella doppia
Ammasso globulare
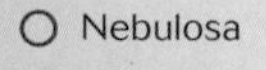
Nebulosa
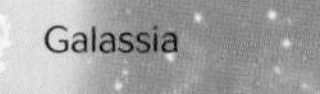
Galassia

Mappe per l'emisfero sud

Orari migliori per l'osservazione:
il 15 dicembre alle 23.00
il 15 gennaio alle 21.00
il 15 febbraio alle 20.00

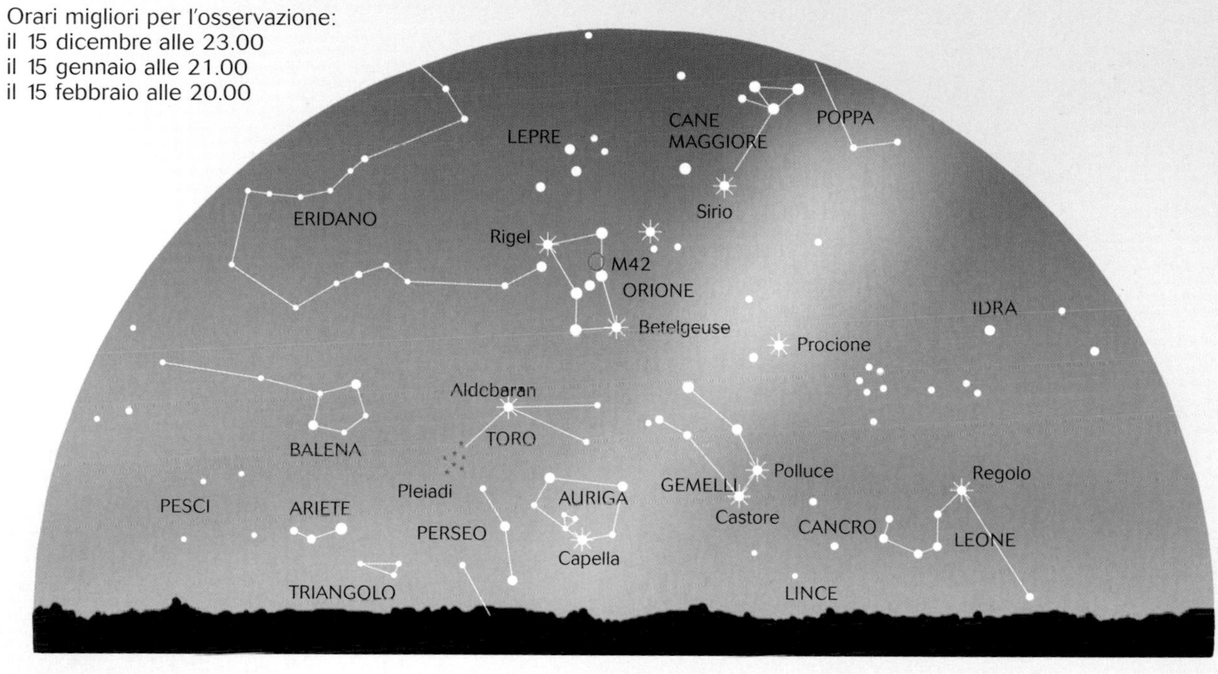

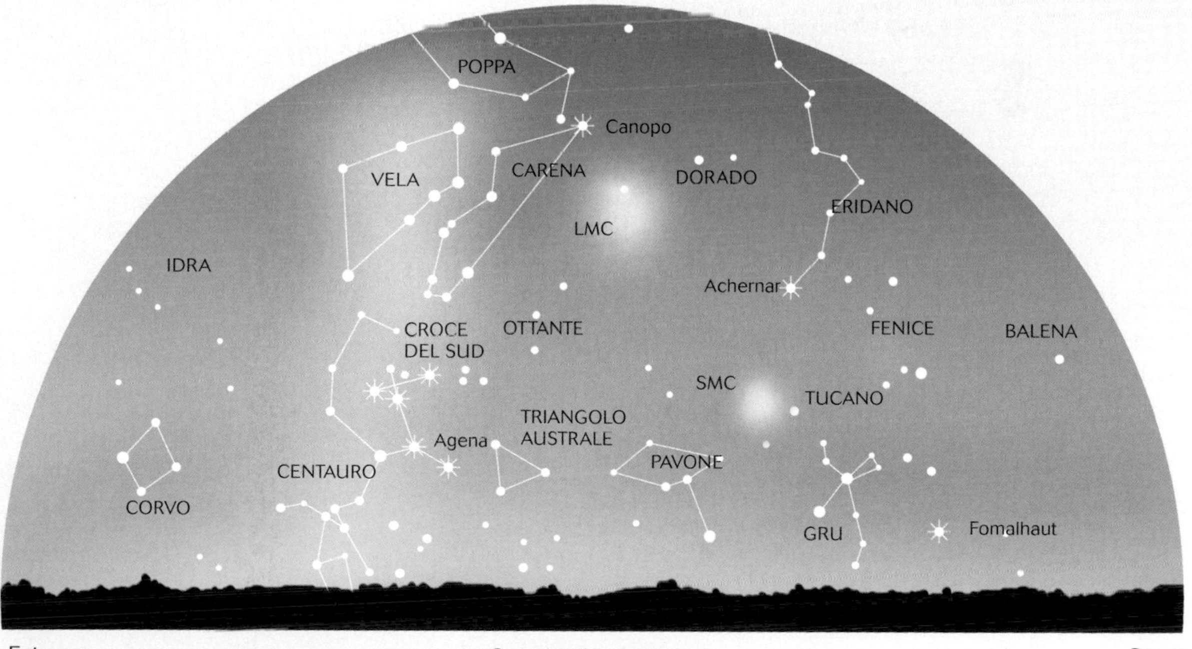

Sciami di meteore visibili da dicembre a febbraio: Geminidi dal 10 al 13 dicembre; Quadrantidi dal 2 al 4 gennaio.

Osservare i pianeti

Cinque pianeti del nostro sistema solare si possono vedere dalla Terra senza usare attrezzature particolari. Sono molto simili alle stelle, ma al contrario di queste la loro luce non tremola.

La figura mostra il Sole e i nove pianeti del nostro sistema solare (non in scala).

Come trovare i pianeti

Proprio come la Terra, tutti i pianeti del sistema solare orbitano intorno al Sole. Lo fanno però ciascuno con tempi diversi e di conseguenza da un anno all'altro non si trovano nello stesso posto nella stessa stagione. Per trovarli serve quindi una carta dei pianeti aggiornata ogni mese. Sono facilmente reperibili su Internet, su alcuni giornali o sulle riviste specializzate di astronomia.

Link Internet

Informazioni su come, dove e quando osservare i pianeti (con tante schede di approfondimento). Per il link a questo sito vai a: **www.usborne-quicklinks.com/it**

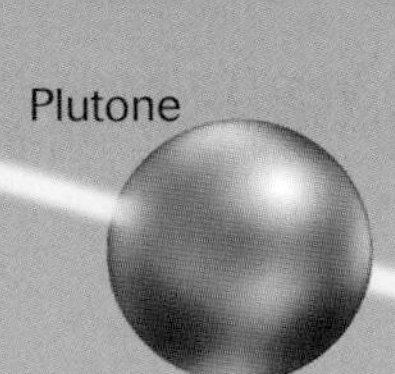

I pianeti interni...

Gli astronomi dividono i pianeti del sistema solare in interni ed esterni. Quelli interni sono i quattro più vicini al Sole, piccoli e rocciosi: Mercurio, Venere, Terra e Marte.

... e quelli esterni

I pianeti esterni sono Giove, Saturno, Urano, Nettuno e Plutone. I primi quattro sono costituiti da ghiaccio, gas e liquidi e perciò sono chiamati giganti gassosi. Plutone è molto più piccolo ed è composto di roccia, ghiaccio e gas congelati.

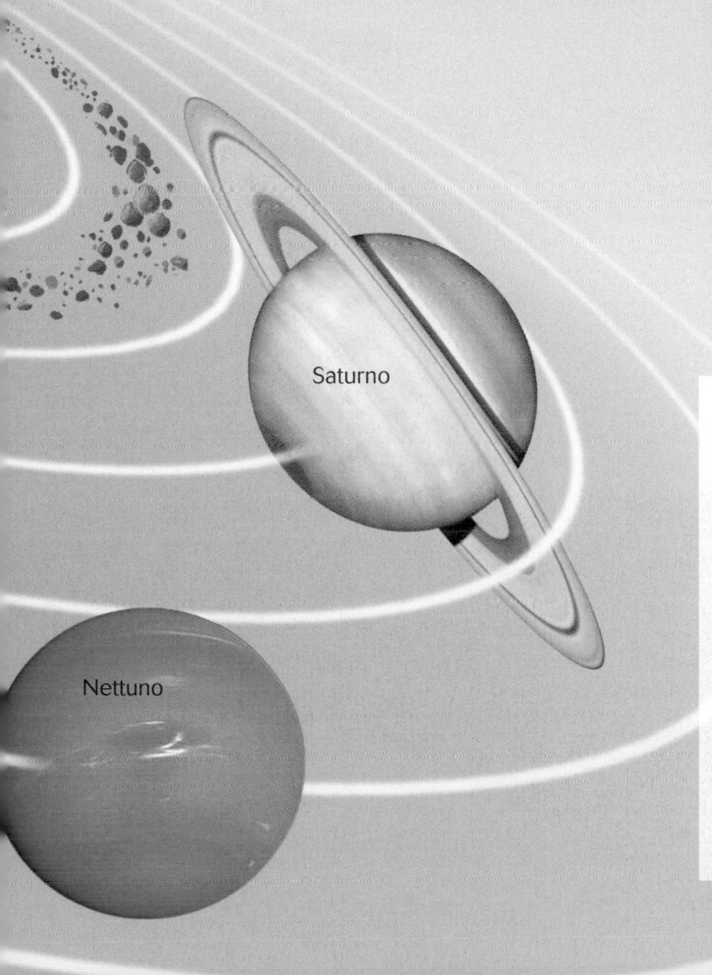

Osservare i pianeti

Mercurio e Venere sono molto più vicini al Sole di quanto non lo sia la Terra e si trovano quasi sempre controsole rispetto a noi, il che li rende estremamente difficili da vedere bene. Il periodo migliore per osservarli è dunque quando si trovano nella posizione più a est o più a ovest possibile rispetto al Sole. In quei momenti si dice che sono in elongazione. Per osservare gli altri pianeti, invece, bisogna aspettare che la Terra si trovi frapposta tra loro e il Sole. In questi casi si dice che tali pianeti sono in opposizione.

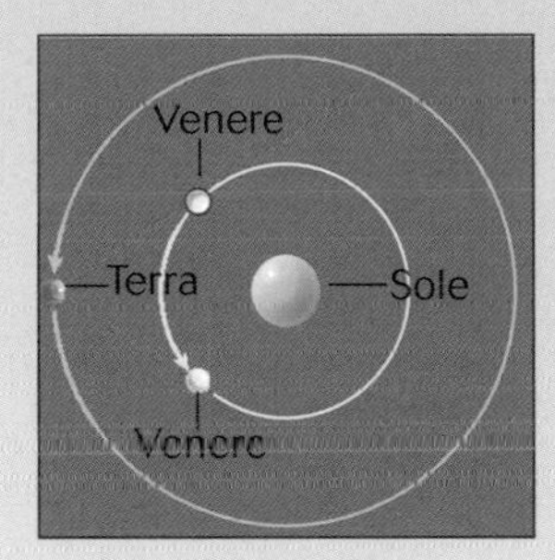

La figura mostra la posizione di Venere quando è in elongazione.

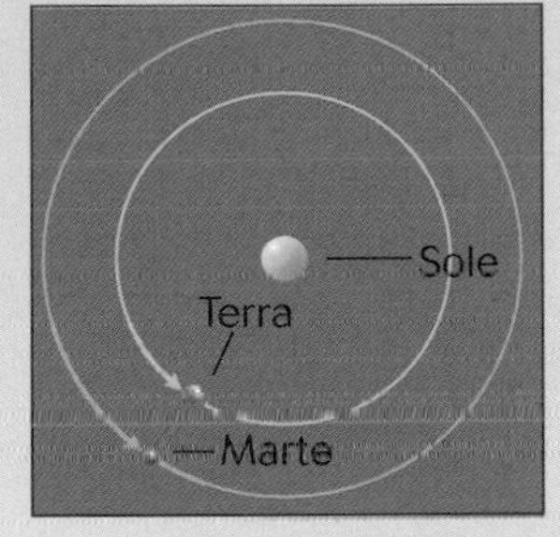

Questo invece è Marte quando si trova in opposizione.

All'indietro

I pianeti si muovono tutti nella stessa direzione, ma a volte Marte, Giove, Saturno, Urano, Nettuno e Plutone sembrano cambiare verso. Il fenomeno viene chiamato moto retrogrado e si verifica perché la Terra gira intorno al Sole molto più velocemente di quanto facciano essi e a volte ne sorpassa uno. In questi casi a noi sembra che quel pianeta faccia marcia indietro.

Mercurio e Venere

Venere è il pianeta più luminoso ed è facile da vedere anche senza binocolo o telescopio, specialmente al mattino presto o all'imbrunire. Mercurio è molto più difficile da osservare, perché essendo molto vicino al Sole è quasi sempre nascosto nella sua luce.

Le spirali che vedi in questa foto di Venere sono nubi. Sono loro a rendere luminoso il pianeta, perché riflettono molta luce.

Superficie nascosta

Anche se Venere è facilmente visibile, dalla Terra è impossibile vedere le caratteristiche della sua superficie, in quanto è coperta da uno spesso strato di nubi. Le foto scattate dalle sonde spaziali ci hanno però mostrato che Venere è roccioso e ha montagne, canyon, crateri poco profondi, vulcani e colate di lava solidificate.

Come trovare Mercurio

Diverse volte all'anno Mercurio si trova abbastanza lontano dal Sole da poter essere osservato. Lo si può vedere appena prima dell'alba o subito dopo il tramonto, molto basso nel cielo. Dalla Terra è però impossibile osservare la superficie del pianeta, anche con un telescopio molto potente.

Questa è stata una delle prime immagini chiare della superficie di Mercurio. È stata scattata dalla sonda *Mariner 10* negli anni '70.

In transito

Quando Sole, Mercurio e Terra sono allineati, Mercurio sembra attraversare la superficie solare. Questo fenomeno si chiama transito. Usando un metodo di osservazione non rischioso per gli occhi, puoi vedere Mercurio come una piccola macchia nera sul Sole.

Mercurio impiega circa tre ore a transitare sulla superficie del Sole.

Marte

Marte è il pianeta più vicino alla Terra e ci appare come una piccola luce rossiccia nel cielo notturno. Il colore deriva dalle rocce e dalle sabbie ricche di ferro che coprono la maggior parte della sua superficie. Il periodo migliore per osservarlo è quando si trova vicino alla Terra e opposto al Sole. Questo succede circa ogni due anni.

Questa foto di Marte è stata scattata dal telescopio spaziale Hubble nell'agosto del 2003. Erano 60.000 anni che il pianeta non si trovava tanto vicino a noi come in quel momento.

Calotta polare

La sua superficie

Marte è ricoperto di crateri e di canyon. *Valles Marineris* è il canyon più grande di tutto il sistema solare. Se si trovasse sulla Terra, andrebbe da Londra a New York. Marte ha anche diversi vulcani spenti. Il più grande è chiamato Monte Olimpo: le sue incredibili misure sono 24 km di altezza e 550 km di diametro.

Calotte polari

Come la Terra, anche Marte ha calotte di ghiaccio permanenti ai poli. Osservandole al telescopio hanno l'aspetto di due grandi macchie bianche. Sono composte di anidride carbonica e acqua ghiacciate.

Una foto ravvicinata del Monte Olimpo. È il triplo dell'Everest, la più alta montagna del nostro pianeta.

Giove e Saturno

Giove e Saturno sono i due pianeti più grandi del sistema solare e si vedono a occhio nudo senza problemi. Entrambi sono giganti gassosi circondati da anelli, anche se solo quelli di Saturno sono facilmente visibili dalla Terra.

Osservare Giove

Essendo il quarto corpo celeste più luminoso, Giove è uno dei pianeti più facili da osservare. È ricoperto di nubi e nella sua atmosfera infuriano tempeste. Con un piccolo telescopio sono visibili strisce di nubi chiare e scure, dette rispettivamente zone e fasce. Le macchie chiare o scure all'interno delle strisce sono tempeste.

Foto di Giove scattata dalla sonda spaziale *Voyager 1*.

La Grande macchia rossa

Un'enorme tempesta è visibile su Giove da più di 300 anni. È ovale ed è nota come la Grande macchia rossa. Forma e dimensioni cambiano leggermente da un anno all'altro, ma quando è al suo massimo è grande circa tre volte la Terra.

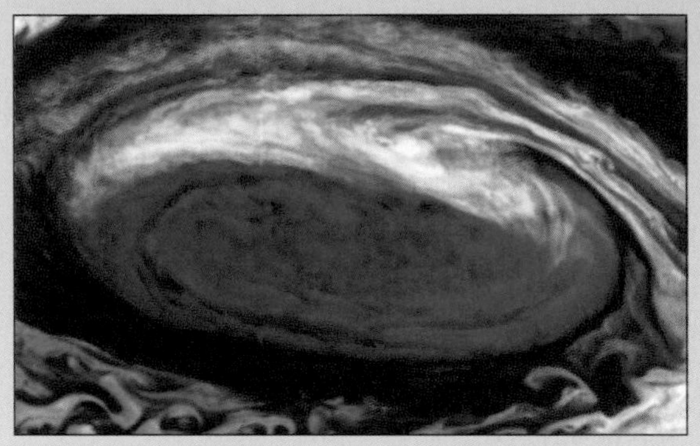

Questa foto a distanza ravvicinata della Grande macchia rossa è stata colorata artificialmente per mettere in evidenza la tempesta.

I satelliti di Giove

Finora gli astronomi hanno scoperto 61 satelliti in orbita intorno a Giove. I loro diametri vanno da circa 8 a 2.630 km. I quattro più grandi (Ganimede, Callisto, Io ed Europa) sono visibili con un binocolo.

Ganimede è la luna più grande del sistema solare. Ha moltissimi crateri ed è ricoperto di ghiaccio.

Un pianeta dorato

Saturno, che ci appare come una luce intensa e dorata, è famoso per i suoi anelli, composti da milioni di frammenti di ghiaccio e di rocce, anch'esse ghiacciate.

Gli anelli si estendono per circa 480.000 km dal pianeta. Nei 29 anni in cui Saturno orbita intorno al Sole possiamo vederne gli anelli in posizioni diverse.

L'asse terrestre è allineato con quello di Saturno: gli anelli quasi invisibili sembrano una linea scura che attraversa il pianeta.

Gli anelli sono visibili dall'alto, come in questa figura, quando il polo nord di Saturno risulta inclinato verso il Sole.

Sono invece visibili dal basso, come in questa figura, quando il polo sud di Saturno si trova inclinato verso il Sole.

Tempeste furibonde

Come su Giove, anche su Saturno ci sono tempeste frequenti e violente, che viste con un telescopio potente sembrano spirali e macchie sulle fasce gialle e oro del pianeta. Al loro interno i venti possono arrivare a velocità di 1.800 km/h. Sulla Terra, i venti più forti e più distruttivi arrivano soltanto a 250 km/h.

I satelliti di Saturno

Dalla Terra ne possiamo vedere solo dieci, ma Saturno ha almeno 31 satelliti. Alcuni tra i più piccoli orbitano negli anelli più esterni. Sono chiamati satelliti pastore, perché la loro gravità aiuta a tenere insieme gli anelli. Quelli più grandi sono visibili come piccoli punti luminosi intorno al pianeta.

Lo sapevi? Secondo gli scienziati è possibile che su Titano, la più grande luna di Saturno, esistano forme di vita molto semplici.

I pianeti esterni

Urano, Nettuno e Plutone sono i pianeti più distanti dal Sole e più difficili da osservare dalla Terra. A occhio nudo Urano si intravvede appena e Nettuno può essere visto solo con un binocolo o un telescopio. Per vedere Plutone, invece, c'è bisogno di un telescopio molto potente.

Come gli altri pianeti gassosi del sistema solare, anche Urano ha degli anelli, che però non sono facili da vedere dalla Terra.

Urano

Urano è un pianeta gassoso e la sua atmosfera contiene grandi quantità di metano, che gli danno un colore tra il verde e il blu. Al contrario degli altri pianeti del sistema solare, orbita intorno al Sole stando su un lato. Gli astronomi pensano che Urano sia finito in questa posizione molto tempo fa, dopo avere urtato un grosso corpo celeste.

Miranda è composta per metà di roccia e per metà di ghiaccio, come tutte le altre lune di Urano.

La superficie di Oberon è ricoperta di crateri.

Queste sono le cinque lune più grandi di Urano (non in scala).

Anche Umbriel ha moltissimi crateri.

I satelliti di Urano

Finora ne sono state scoperti 27. Il maggiore è Titania, grande circa la metà della nostra Luna. Alcuni sono stati scoperti dalla Terra usando telescopi molto potenti, altri dalla sonda spaziale *Voyager 2*.

Oltre ai crateri, Ariel ha anche valli profonde.

Titania è molto simile ad Ariel, ma è circa il 35% più grande.

Link Internet

Tante informazioni sulle varie missioni e sulle sonde spaziali. Per il link a questo sito vai a: **www.usborne-quicklinks.com/it**

Il minuscolo Plutone

Gli astronomi sanno molto poco su Plutone. Per la maggior parte del tempo è il pianeta più distante dal Sole ed è anche il più piccolo in tutto il sistema solare. È troppo minuscolo e troppo lontano perché le sue caratteristiche si possano vedere bene dalla Terra.

Plutone è anche l'unico pianeta verso cui non abbiamo mandato una sonda.

Nettuno

Visto col telescopio, Nettuno sembra un puntino blu. Molto di ciò che sappiamo su questo pianeta viene dalle immagini del *Voyager 2*. È un pianeta gassoso, con un sistema di anelli troppo poco luminosi per essere visti dalla Terra. Ha 11 satelliti: il maggiore, Tritone, è più grande di Plutone e, caratteristica atipica per un satellite, orbita in direzione opposta alla rotazione del pianeta.

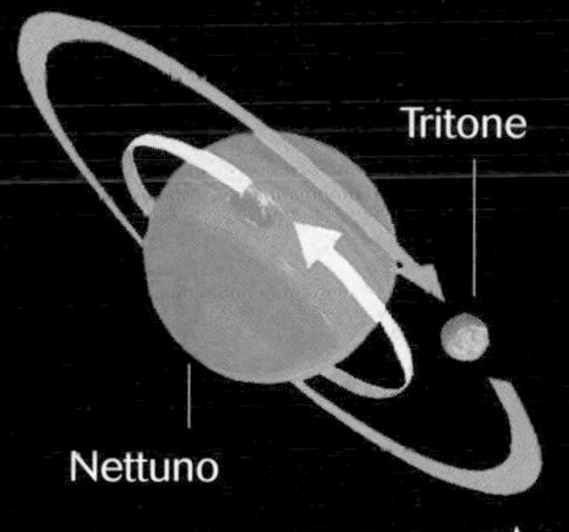

La direzione in cui orbita Tritone è opposta a quella di Nettuno.

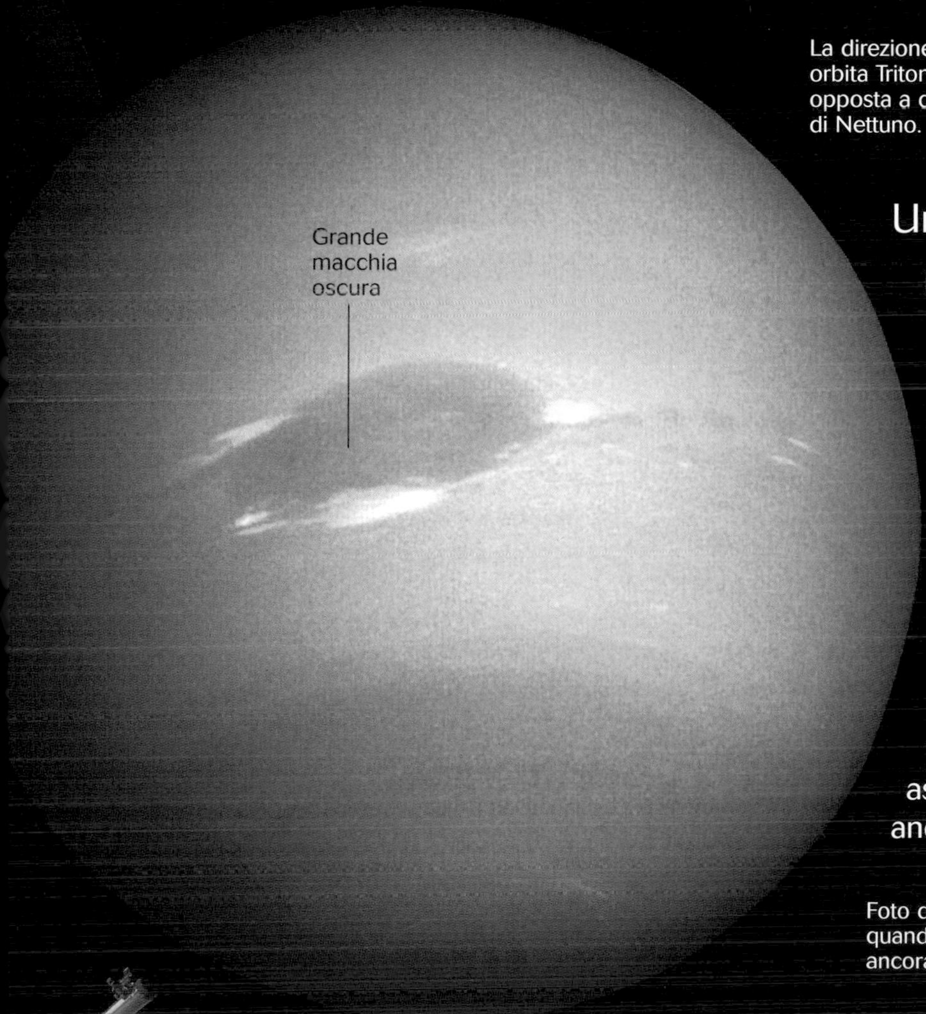

Un pianeta tempestoso

Nel 1989 *Voyager 2* trasmise immagini di una tempesta nell'atmosfera di Nettuno. Grande circa la metà della Grande macchia rossa su Giove, fu chiamata la Grande macchia oscura. Nel 1994 però sparì di colpo. La tempesta potrebbe essere cessata definitivamente oppure essersi solo calmata per poi riprendere, ma gli astronomi non lo sanno ancora con certezza.

Foto di Nettuno scattata da *Voyager 2* quando la Grande macchia oscura era ancora visibile.

Lo sapevi? Plutone è talmente piccolo che certi astronomi credono che in realtà non sia nemmeno un pianeta.

Corpi celesti minori

Oltre a stelle e pianeti, nello spazio ci sono molti corpi celesti più piccoli da osservare, come per esempio comete, meteoroidi e asteroidi. Quando passano vicino alla Terra, alcuni possono essere visti a occhio nudo.

Stelle cadenti

A volte nel cielo notturno si vedono strisce di luce che durano pochi secondi: le meteore, note anche come stelle cadenti. Sono piccoli frammenti di roccia o polvere, chiamati meteoriti, che fluttuano nello spazio e che bruciano quando entrano nell'atmosfera della Terra, lasciando una scia luminosa.

Sciami di meteore

Diverse volte all'anno è possibile osservare spettacolari "piogge" di stelle cadenti. Questi fenomeni sono detti sciami di meteore e avvengono quando la Terra attraversa un gruppo di meteoroidi. In uno sciame di meteore si vedono parecchie stelle cadenti al minuto.

Link Internet

Tutto sui corpi celesti minori del sitema solare: meteoriti, asteroidi e comete. Per il link a questo sito vai a: **www.usborne-quicklinks.com/it**

Nella foto, lo sciame delle Leonidi. È visibile a metà novembre in entrambi gli emisferi.

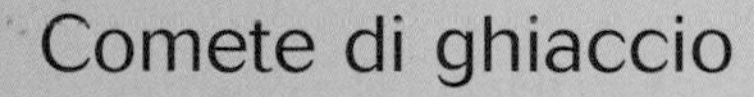

Comete di ghiaccio

Le comete sono enormi blocchi di ghiaccio sporco, polvere e piccole rocce che orbitano intorno al Sole. Quando gli si avvicinano, il ghiaccio inizia a sciogliersi e intorno a essi si formano delle nubi di polvere e gas chiamate chiome. Parte di questi gas fluisce dietro la cometa e ne forma la "coda".

La cometa Hale–Bopp fu ben visibile nel 1997 quando arrivò fino a 196 milioni di km dalla Terra. Probabilmente non tornerà per altri 2.300 anni.

Osservare le comete

Ogni anno molte comete si avvicinano abbastanza alla Terra da poter essere osservate con un telescopio. Di solito appaiono come stelle sfocate, ma le più vicine hanno code abbastanza visibili. L'ultima cometa ad avvicinarsi molto a noi è stata quella Hale–Bopp. Nel 1997 si è potuto vederla chiaramente anche a occhio nudo per diversi mesi.

Gli asteroidi

Sono grandi frammenti di roccia e metallo che orbitano intorno al Sole e si trovano per la maggior parte fra Marte e Giove, in una zona chiamata appunto Fascia degli asteroidi. Alcuni però sono molto più vicini alla Terra e almeno 200 incrociano la sua orbita. Con un telescopio se ne vedono a decine, come piccoli punti luminosi nel cielo.

Lo sapevi? Ogni tanto dei grossi meteoroidi riescono ad attraversare l'atmosfera terrestre e ad arrivare a terra senza bruciare. In questi casi si chiamano meteoriti.

Spettacoli spaziali

Le aurore, come quella nella foto, si chiamano "boreali" quando avvengono vicino al polo nord e "australi" vicino al polo sud.

Ci sono moltissime altre cose spettacolari da osservare nel cielo notturno. Con un telescopio, per esempio, si possono vedere le lontanissime zone dello spazio dove nascono le stelle. Molto più vicino a noi, invece, è possibile riconoscere satelliti artificiali in orbita intorno alla Terra o si possono ammirare le misteriose luci che appaiono nelle zone polari.

Le nebulose

Sono nuvole turbinose di polvere e gas che spesso vengono chiamate "culle stellari" perché in esse si formano le nuove stelle. La maggior parte è visibile solo con un telescopio. Alcune sembrano macchie scure di cielo senza stelle, altre invece splendono e sono circondate da nubi luminose di gas incandescenti.

Questa è la nebulosa Orione. A farla splendere è la luce delle giovani stelle che si formano al suo interno.

Giochi di luce

Spesso i cieli delle zone polari, a nord e a sud, si accendono di straordinarie luci blu, rosse, verdi e bianche. Questi fenomeni vengono chiamati aurore (aurora boreale e aurora australe) e sono causati dal vento solare, una corrente di particelle invisibili che il Sole emette continuamente nello spazio. Quando queste particelle attraversano l'atmosfera terrestre reagiscono con i suoi gas e spesso danno origine ad affascinanti giochi di luce.

I satelliti

In orbita intorno alla Terra ci sono anche molti oggetti fabbricati dall'uomo. Sono i satelliti artificiali, che vengono usati per trasmettere segnali radio e TV da una parte all'altra del mondo oppure per portare dei telescopi che servono per studiare lo spazio. Questi satelliti sono spesso ricoperti di metallo lucido che riflette la luce del Sole e perciò è abbastanza facile vederli e seguire il loro cammino dalla Terra. Basta cercare dei puntini di luce bianca che attraversano veloci il cielo.

Esplosioni nello spazio

Per poter bruciare, le stelle hanno bisogno di enormi quantità di gas. Quando la loro riserva finisce esse muoiono, gonfiandosi ed esplodendo in modo spettacolare. Una stella che esplode si chiama supernova. Negli ultimi mille anni se ne sono potute vedere a occhio nudo dalla Terra solo quattro e la più recente è stata nel 1987.

L'oggetto simile a una stella nell'angolo destro della foto è la supernova 1987A. È stata visibile nell'emisfero sud nel febbraio 1987.

Glossario

Ecco le definizioni di alcune delle parole che puoi incontrare in questo e in altri libri di astronomia. Le parole in *corsivo* hanno a loro volta una definizione.

Ammasso Un gruppo di stelle o di galassie relativamente vicine.

Anno luce La distanza che la luce percorre in un anno, cioè 9.460 miliardi di km. È l'unità di misura delle distanze nello spazio.

Asterismo Gruppo di stelle che fa parte di una *costellazione*. L'Orsa Maggiore (o Gran Carro) è un asterismo.

Asteroide Un grosso frammento di metallo (o di roccia e metallo) che orbita intorno al Sole.

Atmosfera Gli strati di gas che circondano un pianeta o una stella.

Aurora Luci causate dall'interazione fra il *vento solare* e l'*atmosfera* terrestre. Appaiono nelle zone vicino ai poli.

Corona La parte più esterna e più calda dell'*atmosfera* solare.

Costellazione Un gruppo di stelle che sembra formare una figura nel cielo notturno.

Elongazione La posizione in cui si trova un pianeta che appare al punto massimo a est o a ovest del Sole.

Macchia solare Una zona scura sulla superficie del Sole, più fredda di quelle che ha intorno.

Magnitudine La scala usata per misurare la luminosità dei corpi celesti.

Mare Una zona della Luna inondata molto tempo fa dalla lava. Questa lava si è poi raffreddata e solidificata.

Meteora Un *meteoroide* che brucia entrando nell'*atmosfera* terrestre.

Meteorite Un *meteoroide* che colpisce la superficie terrestre.

Meteoroide Un piccolo frammento di roccia o polvere nello spazio.

Opposizione La posizione in cui si trova un pianeta che appare opposto al Sole, con la Terra frapposta tra il pianeta e il Sole.

Orbita Il percorso di un corpo celeste intorno a un altro, come quello di un satellite (o luna) intorno a un pianeta o di un pianeta intorno a una stella.

Supernova Il prodotto di una stella supergigante che esplode.

Telescopio a riflessione Un tipo di telescopio che per ingrandire l'immagine usa specchi e lenti.

Telescopio a rifrazione Un tipo di telescopio che per ingrandire l'immagine usa soltanto lenti.

Universo Lo spazio e tutto quello che contiene.

Vento solare Una corrente costante di particelle invisibili che il Sole emette nello spazio.

Indice

Il numero in *corsivo* contrassegna le parole a cui corrispondono illustrazioni. Il numero indicato in **grassetto** indica la pagina che riporta la spiegazione principale di un termine ricorrente nel libro.

Ringraziamenti

Le Edizioni Usborne hanno fatto tutto il possibile per rintracciare i titolari del copyright del materiale pubblicato in questo volume. Tuttavia, in caso di involontarie omissioni, si impegnano a rettificare le relative informazioni nelle edizioni successive del volume, previa notifica scritta. Si ringraziano le seguenti organizzazioni e individui per l'autorizzazione alla riproduzione del proprio materiale (a = in alto, c = al centro, b = in basso, s = a sinistra, d = a destra):

Copertina (s) © Digital Vision, (c) NASA, (cd) © CORBIS, (bd) NASA; **p1** © Fred Espenak / Science Photo Library; **pp2-3** © Dr. Seth Shostak / Science Photo Library; **p4** © Larry Landolfi / Science Photo Library; **p4** (c) © Royal Observatory, Edimburgo / AAO / Science Photo Library; **p5** (ad) © Jean-Charles Cuillandre / Canada-France-Hawaii Telescope / Science Photo Library; **pp6-7** © Dr. Fred Espenak / Science Photo Library; **pp12-13** © Jean Miele / CORBIS; **p13** (as) © Simon Fraser / Science Photo Library, (cd) © Space Telescope Science Institute / NASA / Science Photo Library; **pp14-15** NASA; **p15** © Scharmar et al. / Royal Swedish Academy of Sciences / Science Photo Library; **pp16-17** Per gentile concessione di NASA / JPL / Caltech; **p16** (cs) © Digital Vision; **p17** (ad) NASA; **p18** (ad) © Rev. Ronald Royer / Science Photo Library; **p19** (ad) © Kenneth W. Fink / Science Photo Library, (bs) © Dan Schechter / Science Photo Library; **p20** © Celestial Image Company / Science Photo Library; **p21** © Celestial Image Company / Science Photo Library; **p22** (as) © European Southern Observatory / Science Photo Library; **p23** (ad) © Allan Morton / Dennis Milon / Science Photo Library, (bs) STScI / NASA; **p24** © Eckhard Slawik / Science Photo Library; **p25** (ad) © John Sanford / Science Photo Library, (cs) © Roger Ressmeyer / CORBIS; **p36** (as) © Chris Butler / Science Photo Library, (cd) © US Geological Survey / Science Photo Library, (bd) © Fred Espenak / Science Photo Library; **p37** (ad) NASA, (bd) NASA; **p38** NASA; **p39** NASA; **p40** NASA; **p41** © CORBIS; **p42** (b) © Tony & Daphne Hallas / Science Photo Library; **p43** © Jerry Lodriguss / Science Photo Library; **pp44-45** © Michael Giannechini /Science Photo Library; **p44** © Royal Observatory, Edimburgo / Science Photo Library; **p45** © Royal Observatory, Edimburgo / Science Photo Library.

L'immagine nelle caselle "Lo sapevi?" è stata usata per gentile concessione della Orion Telescopes and Binoculars; © 2003 Orion Telescopes and Binoculars.

Direzione grafica di Mary Cartwright
Grafica di copertina di Nelupa Hussain
Manipolazione fotografica di Emma Julings e John Russell

Un ringraziamento speciale ad Alice Pearcey

Prima pubblicazione 2004 Usborne Publishing Ltd., 83-85 Saffron Hill, Londra EC1N 8RT, Gran Bretagna. Stampato in Portogallo.